なぜ学ぶのか

科学者からの手紙

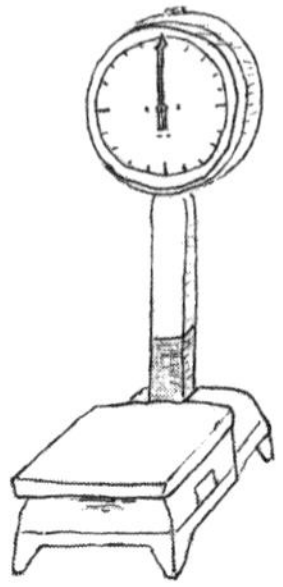

この本を手にとってくださったみなさんへ

この本は、科学者であり教育研究者でもあった板倉聖宣さん（別名「いたずらはかせ」）が遺《のこ》したたくさんの文章のうち、特に若い人たちに向けて書かれたメッセージを厳選して収録したものです。やさしい言葉でわかりやすく書いてありますので、小学校高学年〜中学生ぐらいの方なら問題なく読めると思います。それぐらいわかりやすく書かれた文章ですが、一方で大人でもたのしく読める内容なので、年齢に関係なく、多くの人にゆっくりと読んでいただけるよう願っています。

この本の内容のうち第5章「予想と討論と実験と」と、第6章「たのしく学びつづけるために」は、板倉さんが提唱し、現在では広く行われている「仮説実験授業」をこれから受ける、あるいはすでに受けた子どもたちに向けたメッセージになっています。ですから、「これまでのところ仮説実験授業を受けたことがない」という人にとっては、自分には関係がない話題のように思えるかもしれません。しかし、そういう人もぜひ読んでみることをおすすめします。仮説実験授業を受けたことがない人であってもたのしく読めるでしょうし、そこに書かれている考え方は、これからの未来を元気に生きていく上できっと役に立つものだと思うからです。

なぜ学ぶのか　目次

装画：奥まほみ

1 なぜ学ぶのか ――中学生への手紙

なぜ学ぶのかわからない

「なぜ学ぶのか」――じつは私もよくわからないのです。そりゃあ、一般的《いっぱんてき》にいって「かしこくなるために学ぶのさ」などといえばいいのだったら、私にだっていえます。しかし、「どうしてこんなことを学ばなければならないのか」っていうようなことになると、まるでわからないことが多すぎるのです。それで私は、いつのまにかその「なぜこんなことを学ぶのか」をわかろうとして研究する（学ぶ）ようになってしまいました。おかしな話かもしれません。

もっとも、私にだって、それをなぜ学ぶのかわかることもあります。わかったときはとてもうれしいのです。それで勉強にとても身がはいるようになり、新しい学問の世界がひらけてくるのです。ときたまでもそんなことがあるものだから、やみつきになったというのでしょうか。そんなわけでいつのまにか「なぜ学ぶのか」を研究するのが私の仕事の一つのようにさえなってしまいました。

もちろん、いま中学生であるあなたたちとくらべたら、そりゃあ私の方が知っていることがたくさんあるでしょう。わからないことだらけの私でも、少しはお役に立つこともあるというものです。そこで、私がわかったこと、わからないでいまわかろうとしていることなどを、考え考えお話しすることにしたいと思います。

私が小学生のころは、中学校はいまとちがって義務教育になっていませんでした。いまの高校や大学と同じように、行きたい人、経済的に行けそうな人だけが試験を受けて入ることになっていたのです。

そこで私も「試験勉強をするように」というので、分厚い問題集を与えられました。私が「なぜ学ぶのか」と考えるようになったのは、そのときからだといってよいかもしれません。だって、それまでは試験勉強など一度もやったことがなくて、学校から帰ればあそぶものときめていたのですから。学校は好きではなかったけれど、それほどきらいでもなかったからいいのですが、問題集で勉強するのはとてもいやだったのです。

どうしてかというと、不勉強だった私には、わからない・できない問題が多すぎたのです。片っぱしからできない問題ばかりをやらされたら、だれだっていやになってしまいますものね。それに、正答をみて「なるほど」と思えればそれでもいいのですが、正答を見ても納得のいかないことが少なくなかったものですから、ますます「なぜ学ぶのか」わからなくなってしまいました。あなたもそんなふうに思うことはありませんか。もしあったら、もう少し私の話につきあってください。

なんのために覚えるのか

私がやらされた受験参考書には、たとえばこんな問題がのっていました。「ジャガイモのいもは根か？ 茎《くき》か？」というのです。

「なんだ、こんな問題やさしいじゃないか」と私は思いました。都会育ちの私だって、いもは土の中にできることぐらい知っていましたからね。植物の地面の中にある部分——それは根にきまっているじゃないか。だから根でいいんだ、と考えたのです。ところが正答をみるとそれが大まちがい、ジャガイモのいもは地下茎《ちかけい》といって茎の一種なんだそうです。

そういえば、「地下茎というのがある」ということは、私だって知っていました。「竹は地下茎で仲間をふやす」とか、「私たちの食べるハスは地下茎だ」ということは、ききおぼえていました。だけど、ジャガイモのいもが地下茎だなんて、私にはどうしてもそんなふうには思えませんでした。

それなら、サツマイモのいもはなんでしょう。そんな問題もありました。「ジャガイモのいもが地下茎なら、サツマイモのいもだって地下茎かもしれない」と私は用心深く考えました。しかし、なぜジャガイモのいもが地下茎といえるのか、そのわけもまるでわからないのですから、サツマイモについて自信ある判断を下せるわけがありません。そこで、考えるのがいやになり、正答のところを見ました。すると、そこには「根」と書いてあるではありませんか。私はまるでわからなくなって、勉強するのがいやになってしまいました。

じつは、私は大人になってから当時教わった理科の教科書をしらべてみました。すると、4年生の教科書に「いも」というのがありました。そこを読むと、ジャガイモについては「このいもはくきから地中に出ている枝の先が太くなっているものである」と書いてあり、サツマイモについては「このいもは根が太くなっているものである」と書いてあります。ですから、それをちゃんとおぼえていれば、ジャガイモは茎、サツマイモは根、ということだってちゃんと答えられたはずだったのです。だから、教科書もろくに読まなかった私がいけなかったのだ、ということになりそうです。

「しかし、いくら教科書に書いてあるからといってそんなむちゃな問題があるか」と私ははらが立ってしかたがありませんでした。

「ジャガイモは地下茎でサツマイモは根だとおぼえて何になるんだ」「何のためにそんなことをおぼえなくてはいけないんだ」

私はあまりはらが立ったものだから、このことだけはかえってちゃんとおぼえてしまったようです。

断片的な知識では感動できない

「ジャガイモは地下茎でサツマイモは根、そんなことを知って、いったい何の役に立つんだ」――私が小学校6年生のときそういう疑問をもってから、もう30年以上もたちます。その間私は、教育について考えるたびに、何度このことを思い出したかしれません。

念のために、植物学者は、なぜジャガイモのいもを地下茎と考え、サツマイモのいもを根としているのか、ということもいろんな本でしらべてみました。すると、いろんなことがわかりました。

ジャガイモの地下の部分をしらべてみると、いもはふつうの根の先にはつかずに、茎の根もとから出ているふつうの根より太い茎のようなものの先につくのです。

それに、ジャガイモのいもについている芽の位置を見ると、いもの形はまったく不規則にみえるのに、芽の配置だけはふしぎと規則的にならんでいるのです。それは地上の茎につく枝や葉が規則的にならぶのと似ています。

また、これはだいぶあとに知ったのですが、ジャガイモのいもを植えずに、花がさいたあとにできたタネをまいて育てると、地上の茎から出た枝が地下にもぐって、その先にいもができるそうです。

こういういろいろなことを考えると、ジャガイモのいもは地下にできるとはいうものの、ふつうの根より茎とよく似た性質があるので、植物学者はこれを地下茎と考えるようになったのだろう、と想像することはできます。

けれども、私にはまだ納得がいきません。そんなことは、ふつうの小・中学生にはなかなか納得がいかないと思うからです。こういう話が十分よく納得できるためには、「植物学者が根とか茎というものをどのように考えてきて、どんな必然性《ひつぜんせい》があってその概念《がいねん》を改めていく必要があったのか」ということを、くわしくゆっくり教えなければならないのです。もし、そういう授業が行なわれたら、それはそれでたのしい授業になって、みんな「なるほどなあ、植物学っておもしろいなあ」と思うようになるかもしれません。

しかし、いまのところ私がしらべたかぎりの知識を全部動員しても、そういうたのしい授業はできそうにありません。植物学者たちが、地下にある茎（地下茎）という概念を作りあげたとき、どんな感激があったか、わからないからです。ジャガイモを地下茎とみなす考えのすばらしさが伝わっていないで、その断片的な知識だけが伝わっているのです。

「ジャガイモのいもは、じつは茎の変形したものなんだ」というような知識は、感動的に教えられるのでなければ、いくら教えてもなんにもならないのではないか、と私は思います。こんなことを知っていても、試験のとき以外にはまるで役に立たないし、ジャガイモを育てるときだって、そんなことを知らなくても、まったく困らないからです。だから、そんなことを教えるのはおかしいと思うのです。

新鮮《しんせん》だった西洋の知識

それでは、日本の学校ではどうして「ジャガイモのいもは地下茎だ」なんて、みんなに納得しづらくて、役にも立たないようなことを教えるようになったのでしょうか。じつは10年ほど前のこと、私はそのなぞを解くカギを発見することができました。

日本で学校教育がはじまったのは、いまから百年あまり昔の、明治のはじめのことですが、そのころの日本の小・中学校では、科学の教育がたいへん重んじられていました。福沢諭吉《ふくざわゆきち》など明治文化の先覚者《せんかくしゃ》たちは、西洋の自然科学のすばらしさに目を見はり、ぜひともこれを教えなくてはならないと考えたからです。

自然科学といっても、とくにそのころの日本人にとって新鮮だったのは、物理学や化学の知識でした。植物などのことなら、日本だって昔から農業がさかんだったし、「本草学《ほんぞうがく》」という学問の伝統があるから、西洋の学問から学ぶことは大してあるまい、などと考えられていたのです。

ところが、そんなときに訳出《やくしゅつ》されたフランスの小学校の教科書『初学須知《しょがくすち》』〈須知は〈知るべし〉とも読む〉の「植物学」を見て、人びとはおどろきました。その「第一課程」のところに、「ジャガイモのいもは根ではない。茎より出た小枝が地面に入っていもとなったものだ。茎は芽を生ずるけれども、根は芽をもたないから、根と茎とを区別するのは簡単だ」と書いてあったからです。

「植物についてだって西洋の学問はちがう」「早くこういう新しい知識を教えなければ外国におくれてしまう」――科学〈理科〉の教科書を書こうとしていた人びともそう考えたのでしょう。その後、日本人の書いた小学校の教科書には、必ず「ジャガイモのいもは根ではなくて茎だ」という最新の知識が強調されるようになったのです。

人びとは、こんなことを知って、わけもわからずに「西洋の学問というのはさすがにえらいことをいうもんだ」と思ったにちがいありません。明治の初期の人びとは、西洋から入ってくる知識を、それが新奇であればあるほど、貪欲《どんよく》に吸収しようという意欲にもえていたのです。

そんな時代なら、「なぜ、そんなことを学ぶのか」ということなど問題になんかなり得なかったにちがいありません。「西洋からやってくる新奇《しんき》な知識は、何でも早く吸収すればよい」と思われていたのですから。

これは、いま「学校で先生の教えてくれることにまちがいはないだろう」と考えるのと同じことで、まちがっているとはいえません。それに、学校の先生はきっと、私たちが学ぶに値することだけを教えてくれているにちがいないのです。

いつもそう信じて、「どうしてこんなこと勉強するの？」と考えないですむ人は幸福な人といえます。勉強の効率も上がりますからね。しかし、ときには「なぜこんなことを学ぶの？」と考えないと、ひとりだちして勉強するときに困ることになるのではないか、と私は思うのです。

「ジャガイモのいもは根でなくて茎だ。それは芽を出すから明らかだ」――そういう教科書を読んで、人びとは「なるほど」と思いました。理科（科学）の教科書を書くような人びとも同じです。そこで、その人びとはこの新しい考えを応用して新しい教科書にこう書きたしました。「サツマイモも、ふやすときには温床《おんしょう》にいもを伏《ふ》せて芽を出させる。だからこれも根でなくて茎だ」というのです。明治の十年代にはそういう教科書がふつうになりました。

そのころの日本では、ジャガイモよりサツマイモの方が普及《ふきゅう》していたので、ジャガイモについていうなら、サツマイモについてもいわなければならなかったのです。そこで、それらの教科書の筆者たちは自分の頭で考えて、サツマイモのことを書き添《そ》えることにしたのです。

しかし、前にもいったように、そのころの植物学の知識でも、本当はサツマイモのいもは茎でなく根だったのでした。そこで、そのことは、アメリカで植物学を学んで帰った大学の先生によって訂正されることになりました。十数年あとのことです。

ところが、「ジャガイモは茎で、サツマイモは根」――こうなるともう、簡単な理屈では説明できませんでした。しかし、教科書は、一度有名になったこの知識をぬかすことはできません。そこで、私の小学生のころまで、理屈はともかく、「ジャガイモは茎で、サツマイモは根」という役に立たない知識が、試験用の知識として幅《はば》をきかせるようになったのでしょう。

もっとも、「ジャガイモのいもは茎だ」という知識だって、まったく役に立たないとばかりはいえません。そういう話をきいて「ふーん、学者っておかしなことをいうもんだ。これにはきっとわけがあるのだろう。おもしろそうだからもっと勉強してやろう」という人がでてくるのなら、それはそれで立派に役立っているということもできます。考えてみれば、この私だって、そんなことが気になって、いろいろしらべるようになったともいえるわけです。

たしかに、いま学校などで教えていることは「どうしてそんなことを学ぶのか」よくわからなくても、きっとどこかにその理由がみつかるにちがいありません。いまの私たちには、その理由があまりはっきりしなくても、昔は、いや、今もどこかで「どうしてもこれを教えてやりたい」と本気で思っている人がいるにちがいありません。

学びがいのある知識とは

ジャガイモといえば、その後私は、「そのいもは根でなくて茎だ」という知識よりも、はるかに学びがいのある知識があることを知りました。それは、「ジャガイモのいもは実ではない」という知識です。

ジャガイモは、いもを植えてふやします。だから植えるいものことをよく「たねいも」といいます。しかし、その「たねいも」は、花が咲いて、花粉がメシベの先についてできる、ふつうの（本当の）たねとはちがいます。

花が咲いたあとにできる実や、その中にあるたねは、そのたねを生みだした親の植物の子どもということになります。だから、そのタネをまいて育てたジャガイモは、親のジャガイモとはどこか性質がちがうところができます。しかし、「たねいも」はジャガイモという植物の一部であって、子ではありません。そこで、そのいもの一部を植えて育てたジャガイモは、一年前のジャガイモとそっくり同じ性質をもつことになります。孫悟空《そんごくう》は、自分の髪の毛をもとにしてたくさんの自分の子分を作りましたが、そうやって作った子分は自分とそっくりになるのです。人間でも一卵性双生児《いちらんせいそうせいじ》は、その性質がそっくりなのと同じことです。

そこで、もとのジャガイモの性質（うまいとか病気に強いとか収穫《しゅうかく》が多いとかいう性質）が気にいっている場合、「いもを植えて育てる」という栽培法《さいばいほう》は理想的だということができます。しかし、

「もっといい種類のジャガイモを育てたい」ということになったら、いもを植えてふやしたってだめなのです。そんなときは花の咲いたあとに実をならせるに限るのです。

また、いもでふやしたジャガイモは、みんな性質が同じだということは「そのジャガイモが何かの流行病におかされるようなとき、一斉にみな同じ病気で枯れ死んでしまうような可能性が高い」ということでもあります。（人間でも、一卵性双生児《いちらんせいそうせいじ》は、一人が流行病にかかると、もう一人もかかることが多いそうです）

じっさい、アイルランドではそんなことがあって、「いたるところのジャガイモが全滅し、何十万人もの人が餓死《がし》した」という事件もおきています。こんなことを考えると、やはり、ときにはいもでない本当のたねをまいて、いろいろな種類のジャガイモを育てておくことが大切だ、ということがわかります。

つまり、「ジャガイモのいもは本当のたねではない」という知識は、こんなにいろいろと役立つのです。そんなことを考えて、私は十年ほど前に、子どもと大人の両方を対象にして『ジャガイモの花と実』という本を書きました。こういう本を書くようになったのも、じつは「ジャガイモのいもは茎か根か」というような知識をおぼえることに疑いをもっていたことがもとになっていたのです。

本当の学問をしよう

この話、はじめから終わりまでジャガイモの話ばかりになってしまいました。考えてみれば、ジャガイモの話だけだって、もっともっと話すことがあります。

しかし、私はなにも、ジャガイモのことだけについて「なぜこんなことを学ぶのか」と考えさせられたわけではありません。理科に関するほかのことだって、そのほかの教科の勉強についてだって、少し考えると片はしからわからなくなってしまったのです。

そういえば、私はいまでも九九をすらすらいうことができません。それは、小学校2年生のとき、機械的に九九をおぼえることがばからしく思えて、なかなかおぼえられなかったからです。それで私はずいぶん損をしたこともあったようです。中学校の数学なんかでも、考え方はよくわかっているのに、たえず計算をまちがえて失敗していたからです。

「なんでこんなことを勉強しなくちゃいけないの」などと考えると、どうも勉強の効果があがらなくなります。それでずいぶん損をすることもあるわけです。前にも書いたように、小学校6年生のときも受験勉強をやるのがいやで、ついに受験に失敗してしまいました。私は泣く泣く私立の中学校に行ったのです。

しかし、それでも私は「なぜ学ぶのか」考えることなしに勉強する気にはなれませんでした。それで、中学校へ行っても、英語や歴史や国語など、ろくに勉強する気になりませんでした。私はものを作る職人《しょくにん》の息子でしたから、ものを作ることの尊さはわかるけれども、「英語や歴史や国語なんか勉強したってしかたがない」と思ったのです。

ところが、あるとき、家に来た大工さんが、見本に英語の雑誌をもってきて「こんな家がいい、あんな家がいい」といったのにはおどろきました。「ものを作るためにだって、視野を広くするためには、英語が役に立つことがあるのだ」と感じられたからです。そこで私も英語を勉強する気になりました。

「なぜ勉強するのか」それがわからないと勉強しない、というのは、いまの学校教育の中では明らかに損です。しかし、長い目でみると、それは決して損なことではないと私は思っています。

「なぜ学ぶのか」それがわかってはじめて〈本当の学問〉ができるようになり、学問を作りかえることができるようになると思うからです。

「急がば回れ」ということわざがあります。本当の学問をするために、ときには損を覚悟で「なぜ学ぶのか」考えてみませんか。

2 未来を切り開く力

経験が役に立った時代

この世の中を生きていくときは、年々同じことの繰り返しであるようでいて、時折これまで経験したこともないような出来事が起きて私たちをあわてさせます。大地震が起きたり、火事や洪水《こうずい》になったり、戦争や大恐慌《だいきょうこう》が起きたり、いろいろなことがあります。そんなとき、昔は年寄りの経験・意見を聞いて、なんとか切り抜けようとしたものです。長い間生きてきた年寄りはそれだけ経験が多いので、いろいろ知っていることも多く、落ち着いて判断できることも少なくなかったからです。そんなこともあって、昔から年寄りは大事にされ、あてにされてきたのでしょう。

激動の時代に生きる

しかし、いくら年寄りでも、経験していないことがたくさんあります。そんなときは、経験を頼りにするわけにはいかないので、人びとは心を迷わせました。江戸時代の末、アメリカの軍艦が日本に現れて「貿易したい」といってきたときも、そのような場合でした。そして考えてみれば、私たちの生きていく現代社会は昔とは比較にならないくらい激動の社会です。

江戸時代には、親が百姓なら子も百姓、親が町人なら子も町人と決まっていましたが、明治以降は親と異なる職業につく子が少なくなくなりました。そうなると、いくら親だといっても、子どもの職業のことがわからずに、子どもは自分自身で新しい世界を開かなくてはならなくなりました。しかし、そんな場合でも、人びとはたいていは若いころに選んだ職業を最後まで勤めあげたものです。

ところがどうでしょう。このごろでは、一人の人の職業が一生の間にいくつも変わることも珍しくなくなってきました。自分では職業を変わりたくないと思っていても、その職業が成り立たなくなってしまうことも珍しくなくなってきたのです。昔は蒸気機関車の運転手などはとても格好のいい職業でしたが、いまでは蒸気機関車そのものがなくなってしまいました。昔の人はカネボウといえば「鐘《かね》が淵紡績《ふちぼうせき》会社」つまり綿糸《めんし》をつくる会社を思い浮かべましたが、いまでは化粧《けしょう》品会社のことを思い浮かべるのがふつうになりました。私たちは、いつも「これまで通りに生きていけばいい」とのんきに考えていくことができなくなってきたのです。

こういう社会は、大人の人びとにとってはとてもきつい社会に思えることが少なくないようです。しかし、バイタリティーのある青少年の人びとには期待に満ちた社会に思えることも少なくないことでしょう。未来が過去の繰り返しである時代には、経験の多い大人の方が何かと有利だったのに、変動の多い社会では経験があまり力にならないから、若い生命力のある人びとのほうが何かと有利になるともいえるからです。

人生八十年の時代

しかし、バイタリティーがあるからといって、猪突猛進《ちょとつもうしん》すると、とんでもないことになります。

なにしろ昔は「人生五十年」でしたが、今は「人生八十年」の時代です。「若いころから人生八十年の計を立てるなんて、じいさん、ばあさんくさくていやだ」というのが本当のところかもしれませんが、ときには将来の展望といったことも考えてみなくてはなりません。

それなら、私たちはどういうことを考えていけばいいのでしょうか。

未来のことなんか誰だってわかりっこないのだから、いくら考えても無駄《むだ》でしょうか。そんなことはありません。未来のことだって、そうでたらめに起きるわけではないからです。明治時代から少し前までの時代には、外国のこと、とくに欧米の先進諸国のことをよく勉強するのが、未来の日本の社会を見るコツでした。大正時代にアメリカで自動車が一家に一台近く普及《ふきゅう》したのをみれば、「五十年ぐらいあとになれば日本も同じようになるだろう」と予想することができました。アメリカでテレビが普及したのを見て、「日本でも十年ぐらいのうちにテレビが普及するだろう」と想像して物事を進めることができたのです。

しかし、これからの日本の社会のことは、いくら先進諸国を見て歩いてもあまり見えてこないのではないでしょうか。日本はもうそういう先進諸国と同じ段階にまで達してしまったので、もう今後は自分たちで新しい時代を切り開かなければならなくなってきているのです。他の国々の人びとが日本を真似《まね》する時代が始まっているのです。そういう時代には、どこかの国の産業や文化をそのまま真似るわけにはいきません。私たちはそんな時代に生きているのです。そういう意味で、私たちは日本人全体として未来を切り開いていく必要があるのです。

誰が未来を切り開くのか

こんなことをいうと、「そういうことは学校の勉強のできる秀才たちにまかせればいい。そんな未来を切り開くなんていうことは私たちに関係ない」という人がいるかもしれません。じつは、そんなことはないのです。先進諸国の後を追って産業や文化を築きあげるときは、学校での勉強が大きな力になることは間違いないのですが、新しい時代を開くには、学校での勉強はそれほど力にならないからです。すでにわかっていることなら、学校の勉強を一生懸命《いっしょうけんめい》やればわかるようになります。しかし、まだ誰もやったことのないことは、いくら勉強してもわからないのです。

それで、新しい世界を切り開くためには、たくさんの人びとがそれぞれ自分の好きな方向にすすんでいって、どちらにすすめば新しい世界が開けてくるか探りだすことが必要になってきます。

昔から先進的な社会というものは、そうやって築かれてきたものです。そういう社会では、これまでの日本のように、学校の優等生にばかり期待することはありませんでした。行動力のある人びとがいろんな考えでもって未来の社会を築くことを目指して活動し、社会全体もそうしたことを大切にしてきたのです。それこそ、あらゆる人びとがみな創意を発揮して新しい社会を築いてきたのです。あなた方のまわりにあるものを見てください。毎年毎年新しいものが生み出され、少しずつ便利な工夫が積み重ねられているでしょう。そういう工夫はどういう人びとがやったのでしょうか。それは特別な秀才たちではありません。それこそ、いろいろな人びとが知恵を出しあって工夫してきているのです。

個性重視の時代

そういう工夫をするためには、できるだけいろんな

考えのできる人が必要です。一人ではいろいろな考えができなくても、たくさんの人が集まればいろんな考えが出てきます。だから、みんなの考えを画一化《かくいつか》してはならないのです。これからの時代は一人ひとりの個性がいままでよりもずっと大事にされる社会になってくるのです。これまでの日本人はとかく「みんな一緒に」という考えが強かったのですが、もっと個性を大事にしないと、未来の社会を切り開くことができなくなります。

「みんな一緒でないと、心細くて何もできない」というのでは、新しい社会は築けません。もちろん今後だって、いろいろな国々の中にすぐれた産業や文化を探し出して、それを真似ることが大切に違いないのですが、それがどこの国のどんなことかはわかりません。そこで、これまたいろいろな人がさまざまな関心のもとに、世界のあらゆる国々から多くのものを学ぶことが大切になってきます。これまでの先進諸国だけでなく、それこそあらゆる国々から多くのものを学ぶことが大切になってくるのです。考えようによっては、これから素晴らしい世界が始まるのです。いまの大人の人びとが築いてきた時代とは違う社会です。そんなことを考えながら生きていけば、きっと新しい社会が開けてくると思います。

3

百聞は一見に如《し》かず？

百聞は一見に如かず

「百聞《ひゃくぶん》は一見《いっけん》にしかず」ということわざがあります。たとえば、外国の話を百回も聞いて、外国のことをかなり知っているつもりになっている。それで、はじめて外国に行ってみると、思わぬことをたくさん発見して、「やっぱり自分で来て見てみなければわからないものだなあ」と思うようなものです。「百聞は一見にしかず」の「しかず」というのは、漢字では「如かず」と書き、「その如《ごと》くにはならない」という意味です。ですから、「百聞は一見に如かず」というのは、「百回聞いても、一回見たのと同じようにはならない」という意味です。

もちろん、特に有名な事柄はよく話に出てくるので、自分で外国に行って見てみても、「じっさい話に聞いた通りだなあ」ということになる程度かもしれません。しかし、まわりの雰囲気といったものは、話ではなかなか伝えられないので、自分で行って見てみるよりほかないことが多いのです。

この「百聞は一見に如かず」というときの「一見」には、「絵や写真で見る」というようなものも含めてもいいかもしれませんが、一般には、じっさいに「自分で経験する・体験する」の「験」と考えたほうがいいでしょう。「何でも自分でやってみる＝体験すると、話を聞くだけだったときとは比べられないほどいろいろなことを知ることができる」ということは、たいていの人が体験していることだと思います。それで、このことわざを口にする人が多いのでしょう。

百見は一読に如かず

しかし、自分の目で見、自分でいくら経験・体験しても、なかなかわからないこともあります。

外国旅行をすれば、目立つものは誰でも気づきますが、特別に興味をもって注意をしないとわからないこともたくさんあります。たとえば、ヨーロッパへ行って自分で鉄道旅行の計画を立てようとして、『時刻表』を買おうとしてはじめて、「ヨーロッパでは駅の売店でも『時刻表』を売っていない」ということに気づくことになります。ヨーロッパでは、〈旅行の専門家〉以外は、「自分で鉄道の『時刻表』を買って旅行の計画を立てる」などということをしないのだそうです。そういう「目につかないこと」は本を読んではじめてわかるのがふつうなのです。

ヨーロッパ旅行をすると、「ホテルやレストランやタクシーを利用したとき、料金のほかに〈チップ〉という小銭を渡す習慣がある」と聞かされて、そのつどいくらぐらいの〈チップ〉を渡したらいいいか、頭を悩ますことになります。しかし、「どうしてヨーロッパにはチップというものがあるのか、なぜ日本にはないのか」といったことは、いくらヨーロッパに旅行してもわかりません。そんなことは街角に書いてあるわけではなく、ヨーロッパの人に聞いて

もわかることではないからです。そういうことは、それについて書かれた本を読んではじめて知ることができるのです。

このように、いくら自分で外国旅行を体験しても、目の鋭い人の旅行記や外国文化論などを読むと、思わぬことを教えられて驚《おどろ》くことがたくさんあります。ふつうの人には見えにくいことや、いくら見てもわからないことは、やはりその道の専門家の書いた本を読んで見るほかないのです。そこで、「百聞は一見に如かず」ということわざに加えて、「百見は一読に如かず」ということもできます。

そういえば、よく「科学というものは、自分自身で実験して確かめてみることが大切だ」と言われます。しかし、科学の本を読みもしないで、やみくもに実験したり体験したりしても、何も新しいことを発見できないのが普通です。日本人も昔から、物が落下することや、水に入れた物に浮力がはたらくことを体験していました。しかし、いくら体験していても、落下の法則や浮力の原理を発見することはできませんでした。そういうことは、外国伝来の科学の本を読んではじめて知るようになったのです。

そこで幕末《ばくまつ》から明治初年には、科学も「文学」に分類する人があったほどです。水泳などの技能は「実地に学ぶ以外にない」というので「実学」とされたのに、科学は「文を読んではじめて学ぶことができる」というので、「文学」の中に入れられたのです。じつはそれ以前から、科学は「蘭学《らんがく》」とか「英学」「仏学《ふつがく》」「独学」など、読む言葉の種類によって分類されていました。「蘭学」は「オランダ語で学ぶ学問」、「英学」は「英語で学ぶ学問」、「仏学／独学」というのは、「フランス語／ドイツ語で学ぶ学問」のことだったのです。いまでは科学というのは文学ともっとも遠い学問とされることがあることを考えると、おもしろいことです。〈独学〉には、〈自分独《ひと》りで学ぶ〉という意味もあります）

百読は一見に如かず

さて、それなら、「本さえ読んでいれば科学もその他のこともすべてわかるか」というと、もちろんそんなことはありません。「科学でも読むことが大切だ」ということと、「科学を学ぶには本を読んでさえいればいい」ということとは違います。江戸時代の「蘭学者《らんがくしゃ》＝科学者」たちも、オランダ語で書かれた科学の本を読みながら、「ここに書かれているのはこういうことだろうか」と考えながら、自分でいろいろと試してみないわけにはいきませんでした。そうしないと、科学の本を訳していても、内容をまるで誤解してしまうことがよくあったからです。その外国語で書かれていることの内容をよく知らなければ、訳すこともできないことを知って、実験してみたのです。

そういう意味では、やはり「百読は一見（験）に如《し》かず」なのです。

百読は一聞に如かず

それに、「百読は一聞《ぶん》に如《し》かず」ということもあります。たとえば、外国語の本を読んでいると、「&」という文字が出てくることがあります。こんな時は辞書で引くことができないので困ります。英語でもオランダ語でも、辞書にはアルファベットが並んでいるだけで、こんな文字は出てこないからです。ですから、こういうことはいくら本を読んでも、辞書を引いてもわからないのが普通なのです。そういうとき、私たちはどうしたらいいのでしょうか。

そういうときは誰かよく知っていそうな人に聞くに限ります。そうすると、「これはラテン語のetという文字をデザイン化したもので、英語のandにあたる」と教えてくれる人もいるでしょう。そういうことを知っている人は、「こんなことも知らないで困っている人がいる」なんて気付かないことが多いので、英語の辞書や参考書にも取り立てて書いてないのが普通です。そのことをよく知っている人びとが、「こんなことは、本に書くまでもない知識だ」と思っていることは、本をいくら読んでもわからないので、「なんでも本を読んで知識を仕入れよう」という人びとにはとても困るのですが、そういうことは結構たくさんあります。そこで、「百読は一聞《ぶん》に如かず」ということになるわけです。

実のところ、「&という文字はなんと読むのか」というような例は、もう多くの人が知ってしまっているので、例として挙げるにはよくないかもしれません。

そういう人には「&c.というのはなんと読むのか」という疑問に置き替《か》えて考えてもらいましょう。じつは、これは私自身が困った例でもあるのです。科学の本でも少し昔に書かれた外国語の本を読むと、本文中にときどきこういう字が出てきて悩まされたのです。「&はandと読めばよかった」ということを思い出して、「これもandc.」と読めばよいのかなあ」と思っても意味が通じません。

そんなときは、いくら本を読んでもわからないので、人に聞くか、何かの偶然《ぐうぜん》に知るほかないのです。

じつは、この &c. というのは「etc. = etc = その他」と読むのです。私は、「&というのはラテン語の et という字をデザイン化した文字だ」ということを知っていたので、ある日偶然に、「ああそうか、これは etc. という字なんだ」と気づいたのですが、それまでまったく読めずに困りました。こういう知識は、いい先輩《せんぱい》がいないと、なかなか読めずに困るのです。

何が大切かは条件によって違う

「百読は一聞に如《し》かず」などというと、「〈読む〉のも〈聞く〉のも他の人の意見を聞く点では同じようなものではないか」という人があるかもしれません。それなのに私がことさらこんなことを言い出すのは、私の性質に関係しているのかもしれません。じつは私は、なんでも人に尋《たず》ねるのがおっくうなたちで、なんでも自分一人で本を読むなりして解決しようとするところがあるのです。そのため私には、他の人びとよりも、本を読んだだけではなかなかわからないで困った経験が多いのかもしれないのです。そこでことのほか、「百読は一聞に如かず」ということわざ（？）が身にしみてわかるような気がするのかもしれません。

そう思って、いま、ふと、

「百聞は一見に如かず」
「百見は一読に如かず」
「百読は一聞に如かず」

などと書き並べてみると、「そうか、人によって感心することが違うんだな」と思われてきました。「百聞は一見に如かず」とだけ言うと、「本を読んだり他人に聞くことよりも、自分自身で体験してみることのほうが大切だ」とばかり思えてしまいます。しかし、他人に聞くことも、自分で体験することも、本を読むことも、それぞれに大切なことであるに違いないのです。そして、その人の性質によって、そして時と場合によって、特に心すべきことが違ってくるだけだと思うのです。

4 死んだらどうなるか

人間は死ぬとどうなるのか

人間は死んだらどうなるか、考えたことがありますか。

ある人は、「人間は死んだら〈あの世〉というところに生まれ変わるのだ」と言います。

「人間が死ぬと、その人間の霊魂《れいこん》が身体《からだ》の中から抜け出て、あの世に行くんだ」と言う人もいます。

「〈お化け〉というのは、霊魂がうまくあの世に行けなくて、この世をただようものなんだってさ。だから、よくお祈りして、うまくあの世に行けるようにしないといけないんだってさ」と言う人もいます。

本当でしょうか。

昔の子どもたちは、「うそをつくと、地獄《じごく》で閻魔《えんま》さまに舌を抜かれる」と教えられました。そして、「あの世には地獄《じごく》と天国《てんごく》とがあって、この世で悪いことをした人は閻魔《えんま》さまに裁かれて、鬼に煮《に》え湯に入れられたり、針の山を歩かせられたりして苦しめられる。だから、うそをついたり悪いことをしてはいけない」というのです。

昔の人のなかには、「地獄《じごく》というのは地面の下のほうにあって、天国というのは空の高いところにある」と思っていた人がいました。なかには、「霊魂《れいこん》は月の世界に行くのではないか」と本気で考えていた人もいました。

しかし、本当は、地獄《じごく》も極楽《ごくらく》も天国《てんごく》もないのです。地獄も極楽も天国も、昔の人たちが想像しただけのものです。そんなものは、地面の中や宇宙の中のどこをさがしても、ありません。地獄や極楽など、死んだ人のいく世界など、どこにもないのです。

それなら、人間が死んだらどうなるのでしょうか。

ある人たちは「人間は神様がおつくりになったものだ」と信じてきました。「だから、人間は死んだら神様のいる天国に召《め》されるのだ」と信じてきました。

しかし、科学者たちは、「人間は神様がつくったものではない」ということを明らかにしてしまいました。「人間は、サルに似た動物が変化してできたもので、そのサルに似た動物もその他の生物が自然に変化してできたものだ」というのです。そして、「一番はじめの生物は、生命をもたない原子同士が結びついてできたのだ」と言っています。

人間の身体《からだ》は原子《げんし》でできている

人間の身体だって、他の生物の身体や原子《げんし》・分子《ぶんし》と同じなのです。しかし、原子がでたらめに結びついただけでは、生命活動を続けることはできません。おもちゃの機械やロボットだって、ちゃんと動けるようになるには、たくさんの部品がちゃんと組み合わされていなければならないのと同じことです。

もっとも簡単な生物は「単細胞生物《たんさいぼうせいぶつ》」と言って、顕微鏡《けんびきょう》でやっと見えるくらいの大きさしかありません。ところが、そんなに小さくて簡単な単細胞生物でも、うんと複雑なロボットよりもはるかにうまくできています。そこで、どんなに複雑で高級な仕事をするロボットをつくりだすことのできる人間でも、まだ一番簡単な生物さえつくりだすことができないでいるのです。

単細胞生物の身体は簡単ですが、ふつうの動物の身体は、頭とか目とか口とか心臓とか胃とか、たくさんの〈器官〉が集まってできています。それらの器官はみな〈原子の集まった分子〉からできています。そこで人間の身体全体も原子や分子からできていることになるのです。

人間の身体を作っている器官は、とてもうまくできていますが、いつまでも故障なく動けるものではありません。悪い病気になると、ある一つの器官が弱まって、ついにはまったく働かなくなることもあります。そうすると、ほかの器官がいくら丈夫《じょうぶ》でも、身体全体がまったく働かなくなって、死んでしまうことがあります。医者は、多くの人びとが病気で死なないように研究したり治療《ちりょう》したりしていますが、いまのところ、たいていの人は百歳《さい》くらいで死んでしまいます。いくら病気にならなくても、長い間のうちには「老衰《ろうすい》」といって、たくさんの器官の働きが弱まってきて、体全体が動かなくなってしまうからです。

その人の身体が働かなくなったら、その人の一生《いっしょう》は終わりです。身体の働きが止まったら、その人の心の働きもとまります。心と身体は一つのもので、「身体が死んでも心だけが生き残る」ということはありません。霊魂などというものはないからです。

身体と心は一つ

人間の身体と心は一つです。そして、身体は、自然の法則＝科学の法則の通りに動きます。そのことをよく承知していないと、科学の問題を正しく考えることができなくなることがあります。たとえば、「体重をはかったすぐ後に2kgのものを飲み食いして、またすぐに体重をはかったら、体重はどのくらいになるか」という問題を考えてみましょう。

こういうと、ある人は、「2kgのものを食べたら、ちょうどその分だけ重さがふえる」と考えますが、他の人びとはそう考えません。「いくら食べ物を食べたって、それはすぐに自分の身体にはならない。だから、食べた直後に体重をはかっても体重はまったく変わらない」と考える人もいます。また、「食べると、その飲食物の重さの半分くらいだけ体重が増える。いくら食べても、その一部は人間の生命活動や精神活動に使われるから」という人もいます。

しかし、この問題は、「その飲食物を袋《ふくろ》に入れて、身体に結びつけたらどうなるか」という問題とまったく同じに考えていいのです。人間はいくら生命活動をしていると言っても、重さの変化の仕方は、物体の法則とまったく変わることがないからです。人間がいくら活発に生命活動をしても、うんこやおしっこをしたり、汗をかいたり、息を吐《は》き出さなければ、その体重は減らないのです。そして、飲み食いをすれば、ちょうどその飲食物の重さのぶんだけ体重が増えることになるのです。

人間が死んでも原子はなくならない

人間が死ぬと、焼き場というところで、燃やしてしまうのが普通です。焼き場では、それまでその人の身体をつくっていた器官も燃えてしまいます。〈遺骨《いこつ》〉といって、骨をつくっていた原子の一部と、気体にならない原子だけは灰となって残りますが、その他の原子はみな、空気中の酸素原子と結びついて、気体となって煙突から出ていってしまいます。ふつうはその〈遺骨〉だけを、陶器《とうき》の入れ物の中に入れて、お墓の中に納めるのです。

人間が死んだら、遺骨と一部の灰のほかは何も残らないのです。

しかし、物は何も残らなくても、その人を知っていた人びとの心には、いろいろな思い出が残ります。その人といっしょに経験した楽しい思い出や苦しい思い出、なつかしい思い出が残ります。夢にも見ることでしょう。だから、その人は後に残された人びとの頭の中にだけは残り続けることになります。

そこで、ある人びとは、自分たちの思い出に残るものをその人の〈霊《れい》〉と考えました。そして、その人の〈霊〉はいつまでも生きつづけると考えてきました。そういう意味では、「その人の思い出が残る限り、その人の霊は生き残る」とも言えるのです。

それだけではないかもしれません。人間が死ぬと、それまで身体をつくっていた原子はばらばらになってしまいますが、気体になって飛び散った原子のうち、二酸化炭素になった原子は植物の葉の中に入って、植物の栄養になることもあるでしょう。その植物をほかの人が食べると、それはまた人間の身体に入ることになります。また、死んだ身体が燃えたとき水蒸気になった原子は、冷えて水になり、また誰かの身体の中に吸収されるかもしれません。こうして、世界中の原子は、あちらこちらに移動して「生き返っている」とも言えます。

二種類の真実

この世には、二種類の「真実」があります。その一つは「科学の世界」で、もう一つは「心の世界」です。

科学は、たくましい想像の上に実験を重ねて、この世の真実を発見してきました。その科学の世界では、地獄も極楽も天国もありません。霊魂《れいこん》などというものもないのです。

しかし、科学の世界だけでは満足しない人びともいます。「心の世界では、死んだ人もその人の思い出をもった人びとの心の中に生きつづける」ということもできるのです。そういう意味では、その人びとの霊は、肉体とは別に生きつづけることになります。とくにそのような「心の世界」

のことが気になる人びとは、「信仰《しんこう》の世界＝宗教の世界」を求めます。

科学の世界では死んだら何も残らなくても、宗教の世界では、「多くの人びとの霊は生きつづける」といってもいいのです。信仰の世界では、「人間は神様がおつくりになったものだ」と信じてもいいし、「人間は死んだら神様のいる天国に召《め》されるのだ」と信じてもかまいません。

しかしその反対に、宗教の世界ではなんと言おうと、科学の世界では、「人間が死んだらただの原子になってしまう」というのが正しいことになるのです。

この二つのことをごっちゃにしてはいけません。

5 予想と討論と実験と

——仮説実験授業をやっているみなさんへの手紙

はじめての手紙

——「おもしろい問題」とは？——

こんにちは。

私は〈いたずらはかせ〉、本当の名前を板倉聖宣（いたくら　きよのぶ）といいます。みなさんが、「〈問題・予想・討論・実験を中心とした授業〉をたのしんでくださっている」というので、うれしくて手紙を差し上げます。

ところで、みなさんはその授業を何と呼んでいますか。

「プリントの授業」「予想授業」など、いろいろな呼び名があるようですが、正式な名前は「仮説実験授業――かせつ・じっけん・じゅぎょう」といいます。そして、その授業に使うプリントのことを「授業書《じゅぎょうしょ》」といいます。言いにくい言葉ですが、よろしかったら覚えておいてください。じつは、そういう授業の方法をはじめて考えだして、そのための授業書を作ってきたのは私なのです。そして今もみなさんの先生といっしょに、そういう授業の研究をつづけているのです。そんなわけで、「みなさんがその授業を好きになってくれている」と聞いて、とてもうれしいのです。

すでにお気づきのことと思いますが、仮説実験授業をやるためには、いい問題――おもしろい問題を見つけなければなりません。その問題の答えがどれか、はっきり決めることのできるような簡単明瞭《かんたんめいりょう》な実験の方法を工夫することも大切です。「おもしろい問題や実験が見つかれば、だれだって考えるのが好きになる」――私は、みなさんの授業の様子を見聞きして、そう確信することができるようになりました。そこで、私もますます、そういうおもしろい問題や実験を探しだすように張り切っているというわけです。

それなら、そういうおもしろい問題はどうやったら見つけ出せるのでしょうか。

それは私にも、あまりよくわかりません。ただ、「いろいろな本を見たり、人の話を聞いたりして、ちょっとでもおもしろそうな話があったらそれを詳《くわ》しく調べてみると、そこからさらにいろいろおもしろいことが見つかるようになる」と言うことはできるでしょう。だから、おもしろい問題や実験をさがしだすには、できるだけいろいろなタイプの人と話したり、いろんな種類の本を手にすることが大切なようです。タイプのちがう人は、ふだんから私とはちがう種類のことを知っていて、考え方もちがい、私などが思ってもみなかったようなことを言ってくれるからです。

たとえば、「人間が飲み食いしたら、飲み食いしたものの重さだけ体重が増えるか」という問題があります。ふと、そういうことを考えたとき、ある人は、「飲み食いしたぶんだけ体重が増えるはずはない」と考えます。「飲み食いするごとに体重が増えたら体重がどんどん増えるはずなのに、そんなことはないものな」などと考えるからです。一度そんなふうに考えると、ふつうの人はもうそれ以上考えようとはしなくなります。

ところが、人によっては、「飲み食いしたら、そのものの重さだけ増えるんじゃないの」と思っている人もいます。そういう人はそういう人で、「みんな同じように考えているのではないか」と思っているのですが、本当は人によって意見・予想が違うのです。そして、たいていの人は、「自分と意見・予想が違う人がいる」ということを知ると、その問題に改めて興味を持つようになります。そして、意見の違う人と討論したくなってしまいます。

「だって、飲み食いしたものの重さだけ体重が増えたら、体重がどんどん増えてしまうはずじゃないか」というと、「それもそうだ」という人がいるかと思うと、「だって、人間は飲み食いするかわりにうんこやおしっこを出すから、飲み食いしたぶんだけ体重が増えるわけないじゃない」などと言われてしまうこともあります。意見が違う人も、それなりに考えているのです。

しかし、私たちが一日に出すうんこやおしっこの重さは、一日分の飲食物の重さとちょうど同じくらいあるのでしょうか。そこで、「うんこやおしっこの重さは、飲み食いしたものの重さよりもずっと少ないんじゃないの？」などというと、また議論がつづきます。

こう考えてみると、意見の違う人がまわりにいると、たいていの人はとても好奇心がつよくなることがわかります。そして〈本当はどのような考えが正しいのか〉を実験してたしかめたくなります。よく「好奇心の強い人は科学者に向いている」などといいますが、それならだれだって科学者に向いていることになるでしょう。好奇心というのは生まれつきで決まっているわけではないのです。「意見の違う人がいて、そういう人たちと自由に話し合いできると、だれだって好奇心が強くなる」といってもいいぐらいです。

じっさい、飲み食いしたものの重さと体重の関係をはじめて研究したのは、サントリオ・サントロ（一五六一〜一六三六）というイタリアの医学者ですが、この人は自由に話し合いできるすぐれた友だちを持っていました。たとえば、「科学の父」と呼ばれるガリレオ・ガリレイ（一五六四〜一六四二）とサントリオとはわずか3歳違いで、ベネチア市の会合でよく話し合っていたのです。そこでお互いに討論しながら、いろいろなおもしろい実験を考えだしたというわけです。

たとえば、サントリオさんはとうとう左の図のような大きな天秤《てんびん》をこしらえました。食事をするときも、いつもその天秤の上でするようにして、食物と体重の関係を研究したのです。

こうしてサントリオさんは、ついに「人間の体重はうんことおしっこを出して軽くなる」というだけでなく、「知らず知らずのうちにたえず汗を出していて、体重はその汗の分だけだんだんと軽くなるのだ」ということなどを発見することができたのです。

この例だけではなく、科学の歴史をみると「科学というのは〈いろいろ意見の違う人がいて、そういう人びとがなんでも自由に言える社会〉の中ではじめて生まれ育った」ということがわかります。そういう社会ではみんな好奇心が強くなって、いろんなことを考えるのが好きになります。そして頭もよくなってきます。

みなさんのクラスはどうですか。どんなクラスだって、生まれつきの能力はそう変わることはないでしょう。しかし、みんなが自由に言い合うことのできるクラスかどうかで、クラスの人たちの頭の回転の仕方はずいぶん変わってくるはずです。だから、みなさんのクラスを〈なんでも自由に言い合えるクラス〉に育ててください。そして、そういうクラスができたら、そういうクラスの雰囲気をますますよくしていくようにしてください。そうすると、みんな好奇心が強くなって、頭もよくなってくると思うのですが、どうでしょうか。

さて、今日は思わず私自身の〈問題づくり〉の研究の話にそれて、それからみなさんのクラスの雰囲気づくりの話になってしまいました。少し長くなったので、きょうはこれまでにして、また改めて手紙を差し上げたいと思っています。今度はみなさんのやっている授業——仮説実験授業の話をしたいと思いますので、どうか待っていてください。

ひとまず、さようなら。

二回目の手紙——真理は多数決では決まらない——

こんにちは。きょうは、このあいだ約束したように、仮説実験授業についてお話ししたいと思っています。

この前の手紙では、私の〈問題づくりの研究〉のことを話しましたね。ところで、仮説実験授業では、みなさん自身に問題を作ってもらうことはしていません。だれだってそう簡単におもしろい問題を考えつくわけではないからです。そこで、はじめはみなさんより先輩の私たちがおもしろい問題をさがす研究をして、授業書を作っているというわけです。授業書の中のおもしろい問題を考えているうちに、きっとみなさんもおもしろい問題を考えつくようになると思うからです。

専門の科学者たちだってそうです。大科学者と言われるような人たちだって、はじめからおもしろい問題を考えついたのではありません。そういう人たちだって、先輩のすぐれた科学者たちが見つけたおもしろい問題を自分で考えていくうちに、どういう問題がおもしろいのかを知って、自分でも新しい問題に気づくようになってきたのです。だから、みなさんも、授業書の問題をやっていくうちにおもしろい問題を自分たちで見つけることができるようになるといいと思っています。

自分たちで作った問題でなくても、おもしろい問題があると、みんなで考えたくなります。問題を見ただけでは、「こんな問題、だれだってできるじゃない」なんて思ったら「つまらない」と思うかもしれませんが、みんなの予想が分かれるとたのしくなってきます。「テスト―試験」の時は自分ができる問題ばかりのほうがうれしいのに、「授業―仮説実験授業」のときは違うのです。これは不思議なこととも言えるでしょう。

「試験」のときにはできるほうがいいわけですが、授業ではじめて勉強するときにはできないのが当たり前です。はじめて教わるときから正しい答えを知っていたら、自分の頭を使って考えるたのしみがなくなってしまいます。ですから、仮説実験授業では「予習してはいけない」ということになっています。予習をしてしまうと、討論のときいくら正しい意見を言っても、自分の頭で考えたことでなくてたのしくないからです。人間というのは、〈自分で考えるのがたのしい〉というようにできているのでしょう。

ところで、仮説実験授業では、実験をする前には必ずみんなの予想をたてるようになっています。

ところが、仮説実験授業をよく知らない大人のなかには、「まだ教わってないのに予想なんかたつはずがない」とか、「すぐに実験をすれば答えがわかるのに時間のむだだ」などという人たちがいます。あなたは、そういう意見に対して、どう思いますか。

仮説実験授業から「予想」をなくしたら、どういうことになるでしょうか。

おそらく、みんなあまり考えなくなることでしょう。そして、実験もろくに見なくなることでしょう。そして、「実験のたのしみもうんとへってしまう」と思うのですが、どうでしょう。

予想は、まだ知らないことについて立てるからおもしろいのです。前に一度教わったことについて答えるのならテストと同じです。仮説実験授業の予想はテストと違って、間違えたっていいから安心して予想できるのです。それでも、少しでも予想を当てようとすると、いろいろ考えます。仮説実験授業の予想は、考えれば考えるほどよく当たるようになることが多いから、考える気がするのでしょう。しかし、よく考えれば当たるとは限りません。ときには考えすぎて間違えることもあります。

あなたは、予想分布(だれがどの予想に手を上げたか)を調べるとき、自分と同じ予想の人が少なくて、心細い思いをしたことはありませんか。自分の予想に自信があっても、多くの人と予想が違うと

予想分布

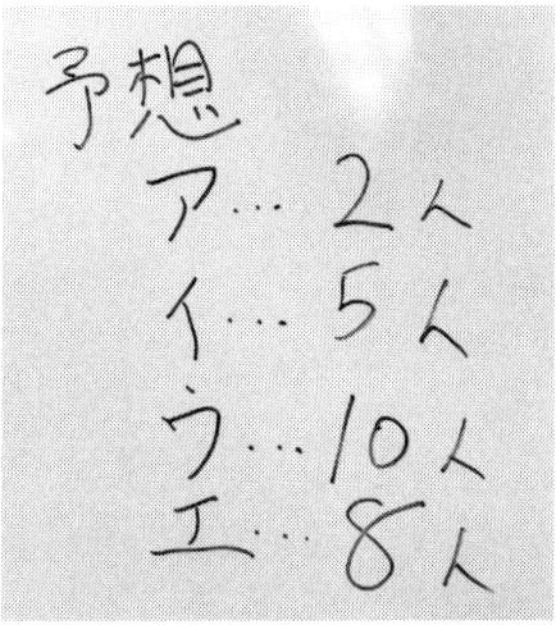

不安になるものです。そして討論のとき、なかなか意見が言えなくなるものです。そんなとき、あなたは、「真理は多数決では決まらない」という言葉を思い出したりしませんか。

そうです。仮説実験授業を少しつづけると、たいていのクラスで「少数派のほうの予想が当たって、多数派が負ける」——つまり、「真理は多数決では決まらない」ということが起きます。あなたのクラスでは、これまで「クラスで一人か二人だけの予想が当たって、大多数の人たちの予想がはずれる」ということが起きたことはありませんか。

これまでのところではそういうことがなかったにしても、いつか起きることがあると思います。仮説実験授業では、ときたまそういうことが起きるからたのしいとも言えるでしょう。「少数派でも勝つことがある」ということになったら、みんなと違う意見でも堂々と言えるようになるわけです。

また、あなたのクラスではこれまで、「討論のとき有力な意見を出した予想の方が、実験の結果と合わない——つまり負ける」ということが起きたことはありませんか。ふつうは、「討論で勝つような意見」は実験でも勝つかもしれませんが、ときには、「討論で勝っても実験で負ける」ということも起きるのです。「仮説実験授業では、ときどきそういうことが起きるからたのしい」という人もいることでしょう。

ことわっておきますが、こういうことは授業書を作っている私たちが仕組んだことではありません。自然にそういうことが起きるのです。それは、仮説実験授業が科学の研究の仕方と同じになっているからです。真理がいつも多数決で決まったり討論で決まるものならば、実験などしなくていいのです。しかし、いくら多くの人びとが賛成した予想でも、いくらもっともそうな意見でも、実験してみると間違っていることがあるからこそ、科学者たちは実験を大切にしてきたのです。真理は実験で決まるからです。

こういうと、仮説実験授業を受けたことのない人たちのなかには、「そんなことなら、討論などしなくて、いきなり実験をすればいいではないか」という人もいます。あなたは、そういう意見に対してどう思いますか。

私がこれまで聞いた意見によると、「実験の前に討論をしておかないと、実験の結果を見ても、どうしてそうなったのか理解できなくなる」という人がたくさんいました。あなたもそれに賛成ですか。

今回はおもに「予想」についての私の考えを書いてみました。じつは、まだほかにも書きたいことがあったのですが、すでにだいぶ長くなってしまったので、ひとまず終わりにします。

書き残したことについては、いつかまた手紙を差し上げることにしましょう。

それでは、また。さようなら。

三回目の手紙――「違った意見」のすばらしさ――

こんにちは。また手紙を差し上げることにしました。

今度は、仮説実験授業の中での「討論」について考えてみたいと思います。

それにはまず、「仮説実験授業の問題は、一人だけで予想をたてて考えて実験をするのと、大勢で話しながら考えるのと、どちらがたのしいか」ということを考えてみるといいと思います。

こういうと、おそらくみなさんは、「みんなでわいわい言いながら考えたほうがたのしい」ということでしょうね。「仮説実験授業が好きだ」という人のなかには、とくに「討論が好きだ」という人が少なくないからです。その中には、「みんなの前で自分の考えを言うと気持ちがすっきりする」という人もいます。それなら、「〈授業中にほとんど自分の意見を言わない人〉は討論が嫌いか」というと、そうでもないようです。人の意見を聞くだけでもたのしいのです。

それはどうしてでしょうか。

友だちの意見を聞いて、自分と似た考えをしていると、なんとなく自信が持てるようになります。また、考えてもみなかった意見を聞くと、「おもしろい考え方もあるもんだ」と感心させられたりします。そして、「あの子はどうしてそんなことを思いついたんだろう」などと思ったりします。クラスの友だちはみな自分と同じくらいの年齢《ねんれい》なのに、それまでの遊び方や生活の仕方や勉強の仕方によって、知っていることや考え方がかなり違っていることがあるのです。そこで、友だちの発言を聞いていると、知識をふやすことができるだけでなくて、生活の仕方や目の付けどころなども勉強することができるようになります。人間というのは、「これで自分もかしこくなれたなあ」と思えれば、たのしい気分がしてくるものなのでしょう。

先生だって同じです。先生方はたいてい、クラスの人々が話し合っているのを聞くのが大好きなようです。子どもたちの討論を聞いていると、みんなの素晴らしい考えが聞けるからです。私も、みなさんの討論の記録を読むたびに、「仮説実験授業をしているクラスの子どもたちはなんとかしこいのだろう」と、いつも感心させられます。私は科学の歴史も研究しているのですが、「科学の歴史のなかですぐれた科学者たちが考えたのと同じ考えが、どのクラスでも出てくる」といっていいのです。

たとえば、ニュートンという大科学者は、凹面鏡《おうめんきょう》を使った望遠鏡——反射望遠鏡を発明したことでも有名です。ところが、《光と虫めがね》の授業書をやっているクラスでは、どのクラスでも自分でその反射望遠鏡を考案することのできる人があらわれます。だれだって、系統的に勉強しておもしろくなれば、大科学者や大発明家と同じような知恵がだせるようになるのです。

私が感心するのは、〈討論のときに活発に発言する人〉の考えだけではありません。討論のときほとんど発言しない人たちでも、その感想文を読むと、「この子たちもじつによく考えているなあ」といつも感心させられます。授業中には何も発言しなくても、いろんな人の発言を聞きながら、「いまの◯◯さんの意見はいいな」とか「こっちの人の考えのほうがいいな」とか「だれそれさんは間違えたけれども、あんなに堂々と発言するなんて素晴らしいな」とか思っていることがわかるからです。

仮説実験授業では、原則として、手を上げない人に指名して発言してもらうことがないようになっています。それは、ひとつには、「発言しなくてもみんなとてもよく考えている」ということがわかっているからです。それに、とくに言いたいことが見つからない人にまで指名して発言させるようにすると、「こんど指名されたらどうしよう」と緊張《きんちょう》して、人の話も落ち着いて聞いていられなくなる人が出てくることを心配するからです。しかし、だれかが発言しなければ、討論を聞いていることもできません。ですから、だれでも気軽に発言できるようにしてほしいのです。もしあなたがこれまでほとんど発言したことがなかったなら、今後はときどき発言するようにしてください。

これまでほとんど発言しなかった人が発言するには勇気がいります。「まちがったことを言うと恥ずかしい」と思ったり、「こんな当たり前のことをいうと、馬鹿にされるのではないか」など、いろいろなことを考えると、なかなか発言できなくなってしまいます。しかし、そんなに緊張せずに、気軽に発言すればいいのです。いちど発言してしまえば、いちいち「恥をかく」とか「馬鹿にされる」などと心配しなくてもいいことがわかります。たいていの人は、気のあう少数の友だちだけだったら、何でも気軽にしゃべれるでしょう。それと同じ気分でしゃべるようにすればいいのです。

そんなことを言っても、はじめて発言するときには緊張してしまって、とても勇気がいるようです。そこで、クラスのみなさんにお願いがあります。それは、「はじめて発言しようとする人でも気軽にしゃべれるような、そんなクラスの雰囲気《ふんいき》を作ってほしい」ということです。たとえば、だれかが発言したとき、その発言を馬鹿にしたり冷やかす人がいると、「自分が発言したときもそんなことを言われるのではないか」と心配になったりします。ですから、どんな発言でも馬鹿にしたり冷やかしてはいけません。その反対に、だれかがいいことを言ったら、「ああ、そうか」とか、「おもしろいね」とか、ほめあうような習慣をつくるといいでしょう。はじめて発言したときでも、言い終わるとホッとしていい気分になれるものですが、「その発言をみんなが喜んで聞いてくれた」ということになると、「これからも気軽に発言しよう」という気になるからです。

また、だれかが「いいことを言ったな」と思ったら、その考えを使って考えてみるといいと思います。そして、予想を変えたくなったら、予想を変えてください。そういうとき、予想変更の理由を「◯◯さんの考えにひかれて変えました」と発言すると、その◯◯さんもうれしくなって、もっと発言してくれるようになるでしょう。クラスのみんなが協力して、なんでも気軽に言えるクラスができたら、みんなかしこくなれるのですから、こういう雰囲気作りは大切です。

そういえば、小学校の低学年では、「予想を変えるのはずるいことだ」と思っている人がたくさんいますが、そんなことはありません。いい考えを聞いたら、それをもとにしてどんどん予想を変えていいのです。落ち着いて考えないで、予想をたえずあっちこっちへと変えるのはどうかと思いますが、いい考えを聞いて予想を変えるのは、いいことではあっても悪いことではないのです。もっとも、ときには「予想を変えたために予想がはずれる」ということも起きます。そういうときには、予想を変えたくなるような発言をした人をうらんではいけません。自分がいいと思って変えたのですから、その変更の責任は自分にあるのです。

ところで、仮説実験授業では、多くの場合、みんなの予想がだんだんと当たるようになります。それはみんなが、それまでの問題のときの実験結果とみんなの討論の内容を結びつけて、「どのように考えると正しい予想を選べるようになるのか」ということを発見できるようになるからです。いくら実験結果を知っても、その前によく討論しておかないと、その結果をどう考えたらいいのかあまりよくわかりません。ですから、クラスにいい発言をする人がたくさんいると、みんな早くかしこくなります。だから、みんなにどんどん意見を言ってほしいのです。

討論のとき大切なのは〈予想が当たる意見〉だけではありません。あとで〈間違い〉とわかる意見も大切です。そういう意見を聞いて、それが間違っていたということがわかると、みんなかしこくなれるからです。それに、「いまの◯◯さんの考え、よくわからないんですけど、もっとよく説明してください」という人がいると、みんなも助かることがあります。だから、「わたし（ぼく）は頭がよくないから」などと思わずに、よくわからないときには「もっとよく説明してください」とはっきり質問するようにしてください。

こう考えてみると、「仮説実験授業では、正しい意見をいう人だけが大事なのではなくて、いろいろな意見をいう人が大切なのだ」ということがわかります。あなた方もそういう経験があるでしょう。あなたがみんなの知恵を学びとるだけでなく、あなたの知恵もみんなに分けてあげてください。そのためにも、気軽に発言するようにしてほしいと思います。

人間は一人ひとりが違います。頭の回転が早い人もいるかと思うと、「一歩一歩用心してゆっくり進まないと考えられない」という人もいます。教科書や参考書などをよく読んでいる人、本なんかほとんど読まないが、野外のことならいろんなことをよく知っている人など、いろいろです。そして私が「仮説実験授業をしてよかった」とつくづく思うのは、「いろいろな人がいるけれど、どんな人でも、いつかは活躍するときがある」ということをはっきりと証明できたことです。あなたのクラスもそうではありませんか。みんなとは違う人がいて、それでみんなが思いもしなかったことが発見されたりするのです。

ところで、仮説実験授業のとき、とても討論の上手な人がいます。そこで、討論が少しでも上手になるためのコツについて、二、三思いつくままに書いておきましょう。

討論の好きな人の中には、「たとえば」といって、とてもおもしろい例をあげる人がいます。たとえば、「人間が飲み食いをしたら体重はどうなるか」という問題の場合——「ものを食べたり飲んだりするということは、その胃袋に食べ物がはいることでしょ。それで体重計にのるということは、たとえば、その人がその胃袋を手にもって、その胃袋の中に食べ物を入れて体重計にのるのと同じだと思うの。だったら、重さはその食べ物の分だけ重くなるにきまっているじゃないか」などと議論するわけです。

こういう議論をすると、「胃袋は手にもてない」とか「そんなことをしたら死んでしまう」と反論する人もいるでしょうが、「そうか、人間だってそう考えればいいのか」という人もいるでしょう。こんなふうに、「たとえば」とか「もしも」という言葉を使って思い切って想像をふくらませてみると、それまではうまく考えられなかったことでも考えることができて、それでほかの人を納得させることもできたりします。

昔の人は科学者でも、「地球は宇宙の真ん中に止まっていて、太陽や月やその他の星はその地球のまわりをまわっているのだ」と考えていました。地球の上で見ていると、そうとしか考えられなかったからです。しかし、すぐれた科学者たちは、「もし、地球の外から地球や太陽その他の星を見たとしたらどうだろう」と考えてみました。すると、「太陽が止まっていて、地球がそのまわりをまわっていると考えたほうがいい」ということなどがわかってきたのです。

前にも書いたように、仮説実験授業を経験した人たちは、よく「科学者になったみたいだ」といいます。じっさい、そのとおりです。科学者が考えるのだって、子どもが考えるのだって、科学を研究するうえでは違《ちが》うことはないのです。だから、科学者たちがうまく成功した考えを使うと、とてもよく考えることができるようになります。仮説実験授業で、《もしも原子が見えたなら》とか《ばねと力》などという授業をやるのは、そういうものの考え方が科学を研究するときにもっとも役立つからです。

そういう、科学の問題を考えるときにうんと役立つ知識が身についたら、みなさんも専門の科学者たちと同じように、自分で考えた問題を自分たちで解決することができるようになるでしょう。みなさんが早くそうなってほしいと思っています。

仮説実験授業というのは、討論がたのしいので、その分ふつうの授業よりも時間がかかります。

そこで、「仮説実験授業では時間のわりに、覚えられる知識が少ない」という人がいます。そして、「ふつうの教科書に書いてある内容を片っぱしから覚える授業のほうがいい」という人もいます。あなたは、そういう意見についてどう思いますか。

たしかに、討論の時間が長すぎて同じ話が繰り返されるようになったら、得られる知識の量がへることもあるでしょう。しかし、みんなに興味のある問題をやるのなら、教科書の中身を覚えるのよりも、みんなの意見を聞くほうがずっと勉強になるのは確かだと思うのですが、どうでしょうか。仮説実験授業をやれば、知識がふえるだけでなくて、知識の仕入れ方や知識の出し方まで勉強できるからです。そして、仮説実験授業で考えるのが好きになれば、自分で勉強することもできるようになります。

しかし、いまのところ、仮説実験授業をやっている先生――クラスはまだごく一部です。また、「教科書にかいてあるようなたくさんの知識を覚える授業をしたほうがいい」と考える先生方が多いからです。それに、仮説実験授業の授業書はまだ一部の教材についてできているだけだからです。そこで私たちは、もっといろいろな授業書を作る研究をすすめています。みなさんも、仮説実験授業がたのしいと思ったなら、みなさんの担当の先生がふつうと違う授業――仮説実験授業をやりつづけられるように応援してあげてください。お願いします。

さて、いろいろと書いてきましたが、最後に、みなさんにお礼をいって、この手紙を終わりにしたいと思います。みなさんが仮説実験授業をたのしんでくださっているということ、そのことを私がどれほどうれしく思い、またそのことでどれほど勇気づけられていることでしょう。みなさん、どうもありがとう。

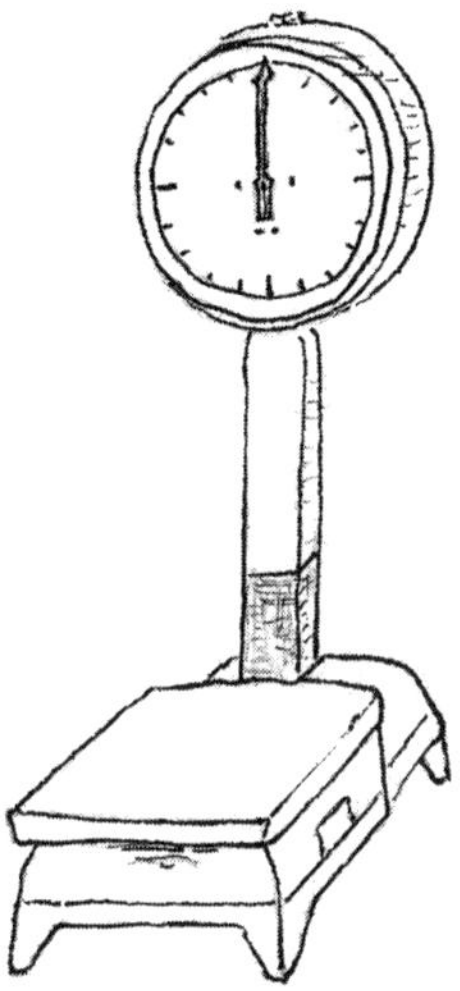

6 たのしく学び続けるために

——仮説実験授業を受けた子どもたちへのメッセージ

みなさんは、もうそろそろ卒業ですね。

学校の授業はたのしかったですか。

「学校にはいろんな友だちがいてたのしいけれど、授業はつまらない」という人もいますが、たまには「授業がたのしかった」と思った人もいることと思います。「遊ぶよりもずっとたのしかった」と思えるような授業があったとしたら、それはとてもすてきなことです。

いまの日本は、とても豊かになりました。昔の日本には、食べるものがなくてつらい思いをしたことのある人がたくさんいました。働こうとしても仕事がなく、田畑を耕そうとしても、その田畑がない人がたくさんいたのです。そこで昔の子どもたちは「なんとかして日本人の生活をもっと豊かにしたい」と思って、うんと勉強してきました。外国には、当時の日本よりもずっと豊かな国々があることを教えられていたからです。

どうして外国には、日本よりもずっと豊かな国があるのか――その理由は、かなりはっきりしていました。豊かな国では産業が発達していて、人があまりあくせく働かなくても、そのぶん機械が仕事をしてくれていたのです。

「明治時代」というと、今から百年以上も前のことになりますが、そのころの日本の代表的な乗り物というと、人力車というものでした。車に人を乗せて、その車を人間がひっぱって走っていたのです。これは、その前の時代、江戸時代の代表的な乗り物――「かご」とくらべると、とても便利な乗り物でしたが、そのころのヨーロッパやアメリカの国々の代表的な乗り物――「馬車」とくらべると、ずっと劣《おと》っていました。それでも日本には、その人力車をひいて走らなければ食べていけない人がたくさんいたのです。

ヨーロッパやアメリカの人びとは、馬車にかわるものとして汽車や電車や自動車も発明していました。だから日本の子どもたちは、「私たちもそういう乗り物に乗ってみたい。そういう乗り物が日本中を走るようにしたい」と夢みました。

そういう夢を実現するには、どうしたらよいか――その時代の子どもたちもおとなたちも、それを知っていました。日本でも外国を真似《まね》て、産業を発達させればよいのです。

外国のように産業を発達させるには、どうしたらよいのでしょうか。はじめは外国から機械を買い入れなければならないでしょう。いい機械を安く買うには、英語やドイツ語も勉強しなければなりません。そして、買った機械を動かすための勉強もしなければなりません。いつまでも外国から機械を買っていたのでは高くつきますから、そういう機械も日本で作れるようにしなければなりません。それには「機械を作る機械＝工作機械」も買う必要があります。そして、そういう機械を動かしたりする科学や技術を勉強する必要があります。

日本の人びとはそう考えて、今から一三〇年ほど前の明治維新《いしん》以後、西洋（ヨーロッパやアメリカ）の産業や科学をまるごと――あれこれ選ばず、ともかくそっくり全部とり入れる努力をしてきたのです。小学生や中学生もそうでした。「少しでも余分に勉強すれば、外国のすぐれた文化や産業をとり入れて、日本を豊かにすることができるにちがいない」と考えたからです。

学校の勉強は、すべてが役立つというわけではありませんでしたが、それでもたくさん勉強すれば、それだけ外国のすすんだ産業や科学をとり入れられることはまちがいありませんでした。そこで、会社や政府は、高い給料をはらっても、より多く勉強してきた人たちを雇《やと》おうとしました。だから、より多く勉強すれば、個人的な生活もそれだけ豊かになったのです。

しかし、昔の日本にはまずしい人びとが多くて、勉強するのもたいへんでした。親や兄弟を食べさせるために働かなければならず、そのために勉強する時間などとれない人びとがたくさんいたのです。いくら勉強ができても、家庭のまずしい人は上級学校にすすむこともできませんでした。そこで、家庭がそれほど貧乏でなかった人びとは、少しぐらいつらい思いをしても、なんとか上級学校に進学しようとがんばりました。

そういう時代は、だいたい、みなさんのおじいさん、おばあさんの時代までつづきました。みなさんのおじいさんやおばあさんの中には、「中学校（や高等学校）もでていない」という人も少なくないでしょうが、それは必ずしも「おじいさんやおばあさんが勉強ぎらいだったから」というわけではないのです。上級学校に行きたくても家庭の事情で行けなかった人がたくさんいたのです。そういうおじいさんやおばあさんの多くは、「自分の子どもたちは、なんとかして上級学校に進学させてやりたい」と思ってがんばってきたはずです。

それでは、今の君たちの状態はどうでしょう。みなさんの中には、「僕は勉強したいんだけど、家が貧しくて上級学校に行かれない」という人はいますか。もしそういう人がいたら、先生に相談してみてください。きっと何かいい方法を考えだしてくれると思います。

しかし、そういう人はほとんどいないようです。今では「上級学校になんか行きたくないのに、行け行けといわれるから、しかたなしに行くんだ」という人の方が多くなっているのです。昔とは逆のことがおこりはじめているのです。

君たちのなかには「おとなは何かというと〈勉強しろ、勉強しろ〉というからきらいだ」という人が少なくないでしょう。しかし、昔は「勉強なんかしないで、家の仕事を手伝え」といわれて困った人がたくさんいたのです。

昔と今とでどちらがいいか。――多くのおとなは「今の方がいいにきまっている」と思っています。そこで、「今の子どもは、めぐまれているのに勉強しない」といって叱《しか》ります。しかし、昔と今とをそう簡単にくらべることはできません。

どんな時代だって、子どもはおとなから押しつけられることがきらいです。「勉強なんかしないで働け」といわれるのも、「働かないで勉強しろ」といわれるのもきらいです。「自分のやりたいことをやりたい」と思うものなのです。

昔の日本は、アメリカやヨーロッパの国々とくらべると、とてもおくれていました。ですから、昔は子どももおとなも、すすんだ外国の国々の産業や文化をとり入れようと思って一生懸命勉強してきたわけです。さいわい、今の私たちの生活は、そういう人びとのおかげで豊かになりました。「世界でもっとも豊かな国」といわれた国々の人びとの生活とくらべても、そう見劣りしないというか、むしろ、それ以上に豊かになってきたといってもよいのです。日本の産業、技術や科学も、昔とくらべればはるかに進歩してきたのです。

ですから、いまの子どもたちにとって「どこかの国の産業や文化をそのままとり入れたら、日本はもっとすばらしくなるだろう」とは思いづらくなっています。もちろん、今だって外国の国々から学んだ方がいいことはたくさんあります。しかし、「どこかの国の産業や文化をまるごと真似《まね》る」というような夢はえがけなくなっているのです。それはおとなでも同じことです。それに、今でも「上級の学校を出た方が少しは給料が多い」とはいうものの、学歴による給料の差はとても少なくなっています。昔は「大学出」と「中学出」では給料が数倍もちがっていたのに、今では2倍もちがうということはありません。

ですから、子どもの勉強のしかたも変わってくるのが当然といってよいのです。

今では、「ほかの国々のすすんだ産業や文化をまるごととり入れること」が問題なのではありません。私たちは世界の先頭に立って、世界の人びとの役にたつ産業や科学や文化を新しくつくりだす仕事をおしすすめ、世界中の国々に学んで、その国々のすすんだ文化・科学・産業をとり入れるようにしなければならないのです。

「他の国々に追いつくため」だった勉強と、「自分たち自身で新しい産業・科学・文化をつくりだすため」の勉強とでは、その性質がずいぶんちがいます。ずーっと先にすすんでいる国々を真似《まね》するときは、そのほとんど全部を真似《まね》してもまだよかったのですが、今度は同じ真似《まね》をするにも、何を真似《まね》したらよいか、ひとつひとつ、よーく考えて学ばなければなりません。

人のふみ固めた道のあとをついていく勉強と、人の前に立って新しい道を開拓していく勉強とではちがうわけです。

もっとも、小中学生は、自分自身で新しいものをつくり出すわけではありません。小中学校では、昔の子どもたちと同じように、おとなのふみ固めてきた道のあとをたどって勉強するわけです。しかし、「どこかほかの国にあるすばらしいものをとり入れよう」と夢みて勉強するのと、「今はどんなものかわからないけれども、世界の人びとの役にたつ産業・科学・文化をつくりだしたい」と願って勉強するのとでは、やはり大きくちがったところがでてくるのです。

人のつくったものを真似《まね》するときには、そのつくられたもののすばらしさがわかればそれでいいわけですが、自分が新しいものをつくるには、まだできていないものについて自分で夢みて一歩一歩考えをふみ固めなければなりません。すでに完成されているものなら、どれがよいか判断することはそうむずかしくなくても、まだ完成していないものについては、どういうものがいいのか判断するのはとてもむずかしいのです。

それに、人のつくったものを真似《まね》るときは、それをとり入れた結果のたのしみのために、少しぐらいつらいことも我慢《がまん》できますが、新しいものをつくりだすときには、「新しいものをつくりだしていくこと自体のたのしみ」が大切です。勉強についていえば、勉強の結果の（出世などの）たのしみだけでなく、勉強そのものがたのしんでできるようなものでなければ、とてもつづけることはできないのです。

さいわいなことに、科学というもの、文化というものは、皆もともとてもたのしいものです。さまざまな科学や文化をはじめてつくりだした人の中には、それを「いやいやながらつくりだした」という人はまったくいない、といってよいのです。それどころか、科学や文化をつくりだすことはとてもたのしかったので、少しぐらいの、いや、時にはとても大変な苦労があっても、それをのりこえることができたのです。

そんなたのしい科学や文化、また、それを学ぶことのすばらしいたのしみを、私はぜひみなさんにも伝えたいと思いました。そこで私は、みなさんの先生方と協力して、「学校の授業が少しでもたのしくなるように」と工夫してきました。

みなさんは、「はじめに少し難《むずか》しくておもしろそうな問題を出してもらって、一人ひとりがその実験の結果を予想して、話し合ってから実験する」という授業を、少しは気にいっていただけたでしょうか。みなさんがやったその授業は「仮説実験授業」といいますが、その授業でとりあげた問題は、みなさんの先生方と私とがいっしょに考え出した問題なのです。

みなさんが上級学校に行っても、もうそういう授業をうけることはないかもしれません。仮説実験授業というのは、小中学校でも高等学校でもできるのですが、いい問題を作るのはなかなかむずかしいうえに、いい問題ができても、授業にそういう問題をとりあげる先生はまだまだ少ないからです。だから、「みなさんが仮説実験授業をうけるのはこれで最後」ということになるかもしれません。そこで最後に、みなさんといっしょに、「科学とはどういうものか」「科学を学ぶとはどういうことか」ということについて、もう一度考えてみたいと思います。

どうして「もう一度」というのかというと、これから書くことの大部分のことはきっと、みなさんが仮説実験授業の中でもう気がついていることだと思うからです。ただ、すでに気がついていることだといっても、それをみんなでまとめて考えなおしてみると、きっと何かの役にたつことがあると思います。

みなさんは、仮説実験授業――「はじめに問題を出して、それから実験をする」という授業を、すこしは気にいってくれたでしょうか。たのしいと思ってくれたでしょうか。私はそれがとても気になります。「あんな授業は大きらいだ」というのでは、私の話はきいてもらえそうにないので、だからもう一度お聞きしたいのです。

「勉強にはなったけど、とてもいやだった」という人がいなければいいのだが、と思います。私は「勉強というのはたのしくなければうそだ」と思うからです。「たのしかったけれど、ぜんぜん勉強にならなかった」という人もいなければいいと思います。「たのしいことは確実に勉強になる」と思うからです。

けれども、上級学校の勉強は必ずしもたのしいことばかりとはいえないと思います。いや、きっとたのしくない勉強の方が多い、大部分の授業がたのしくないということも少なくないでしょう。昔の子どもは、そのたのしくないことでも我慢して勉強したので、授業のやり方、教育の研究が、まだおくれたままなのです。そんなわけですから、その授業がたのしくなくても、勉強がつらくても、少しは我慢して勉強してみてください。そしてみなさんがおとなになったときには、次の世代の子どもたちがたのしい授業、たのしい勉強ができるような道をひらいてくださるといいと思います。

もしも仮説実験授業に少しでもたのしいところがあったとしたら、それはなぜだと思いますか。

これにはいろいろな答えがかえってくることと思います。「自分で予想をたてるところがおもしろい」という人、「みんなで討論して、わいわい言いあうのがたのしい」という人、「実験がまちどおしい」という人など、いろいろあります。あなたはどこが一番すきですか。

「予想すると自分の考えていることがわかるからいい」という人がいました。不思議なことですが、本当のことです。「自分の考えていることは自分が一番よく知っているのがあたりまえだ」と思えます。それなのに、人間というのは予想をたててみて、「ああ自分はこう考えていたのか」と発見できることがあるから不思議です。私たちは予想をたててみて、はじめて自分のこともよく知るようになり、それで自分の考えちがいや自分の考えのすばらしさも発見できるのです。

仮説実験授業をうけることがなくなっても、自分でいろいろな問題を考えて予想をたてるようにするといいと思います。

「仮説実験授業がすきだ」という人がその理由として一番よくあげるのは、討論・話し合いです。授業の時、ときにはケンカのようなはげしい言いあいになることがありますが、そういうことがあると、その授業のことはなかなか忘れられません。「ケンカはいけない」といったって、「ケン力になるくらい夢中で考える」というのはすばらしいことだ、といえますね。

討論をするとき、自分が少数派で心細い思いをした人もいることでしょう。そして、討論でも自分の考えをはっきり言えなくて、ますます心細い思いをした人もいることでしょう。だれでも少数派であることは、とても心細いものです。少数派が自分の考えを守るのには、勇気がいります。

もちろん、討論のときに「相手の考えの方が正しい」と思ったら予想を変えたらよいのです。中には、相手の考えの方が正しそうだと思ったのに、意地をはって予想変更をしないためにまちがったことのある人もいることでしょう。とくに低学年の子どもには、やたらに意地を張って予想変更するのをきらう人が多いようです。人間は少しおとなになると、自分の考えを改めることができるようにもなるのです。

反対に、よくわからないのに「少数派でいるのは心細いから」という理由だけで予想を変えてしまう人もいます。それなのに「予想を変えたために、かえってまちがえた」ということになると、とても残念に思えてきます。

科学の歴史でも「大科学者」といわれるような人は、たいてい、はじめは少数派でした。はじめは少数派だったのに、自分の考えに自信をもって言い通して、最後には勝利したのです。私たちは少数派でもがんばる勇気をもちたいですね。

ときには、クラスでただひとりの少数派で、「みんなから反対意見をいわれたのに最後まで予想をかえずにいて、しかも実験で負けた」というような出来事もおこります。そんなとき、その人はとてもみじめな気持ちになったりするものですが、たいていの人はその人を「えらい」と思っているものです。たいていの人は「少数派でがんばるのはとても勇気のいることだ」ということを知っていて、「僕は、わたしは、あんなにがんばれないけれど、あの子はえらい。結局はまちがっていたけれどえらい」と思うものです。人の心はあたたかいのです。そのことに気がつけば、あなたは少数派になっても、勇気を出して自分の考えを言えるようになるにちがいありません。

自分が少数派だと心細いけれど、「自分に自信があるときは、少数派の方がかえって張りきれる」ということに気づいている人もいると思います。自分が少数派でしかもその意見が正しかったら、それこそ大発見です。大科学者と同じことになるわけです。

「討論、話し合いがたのしいのは、友だちの意見がきけるからだ」ということもあります。「友だちが自分よりすぐれた意見を出すのをきくと、先生から同じような話をきくのよりずっと勉強になる」と思った人はたくさんいることでしょう。「自分だって考えついたってよさそうなのに、あの子だけどうしてあんなことが考えられるのかなあ」と思えるからです。そして知恵の働かせ方がわかってくるのです。

しかし、討論がなによりもたのしいと思えるのは、自分の考えたことが自由に言えたときではないでしょうか。「まちがえると恥ずかしい」と思うと何も言えなくなったりしますが、思いきって言ってしまうと、すっきりするものです。「まちがえたって平気」ということがわかるのです。まだあまり意見の言えない人は、だんだんと意見が言えるようになってください。まちがえたって、ほかの人はきっとその意見を言ったあなたを尊敬しているのですから。

小学生はかなり自由に自分の意見を出しますが、中学生ともなるとなかなか意見を言わなくなります。そして高校生になると、ほんの一部の人以外はクラスのみんなの前で意見を言えなくなります。不思議なことです。小学生や中学生の時にたのしく討論した人たちにとっては、考えられないことです。討論は、自分の意見を言うことも他の人の意見をきくこともとてもたのしいことなのに、年をとるにつれてどうしてそういうたのしいことができなくなるのでしょうか。

それは、「多くの人びとが、討論とか話し合いというものの本当のたのしさを知らずに年をとってしまうからだ」といってもいいでしょう。人間は年をとるにつれて、他の人のことがとても気になるようになります。そして、「まちがえたら恥ずかしい」という気持ちが増すのです。それにまた、いい考えを出すと、「あの子はいいかっこうをしようと思っている」と言われるのをおそれるようにもなるのです。しかし、私たちが話し合いをするのは、いいかっこうをするためでも恥をかくためでもありません。仮説実験授業をうけた人たちなら、そのことが十分にわかるでしょう。

私たちは話し合うと、話し合わなかったときよりもずっとよく考えることができ、知恵の出し方もわかってかしこくなれるのです。意見を言った人がかしこくなれるだけではありません。いい思いつきを言ったときはもちろんのこと、まちがったことを言っても、みんながかしこくなるのを助けられるのです。

小学校の2〜3年ぐらいの子どもは、「自分の予想が当たるかどうか」ということばかりをとても気にすることが多いものです。しかし、少し大きくなると、「いい意見を言いたい」と思うようになります。そしてクラスの友だちの一人でも「○○さんの意見をきいて予想を変えます」と言ってくれると、とてもうれしく思えます。ほかの人の意見をかえるのはとてもむずかしいことですが、それがとてもたのしいのです。

みなさんのクラスでは、先生がみんなの授業の感想をきいて、その結果を発表してくれたことはありませんか。そんなとき、友だちのだれかが「今日は◯◯さんがとてもいい意見を言った」などと書いてくれると、とてもうれしく思えるものです。私たちは知恵をだしあってはじめて、みんなで進歩していけるのです。

科学の歴史をしらべてみると、科学というのは民主主義の発達している国だけで進歩したことがわかります。みんながまちがった意見やおもしろい意見を自由に出しあってはじめていろいろな考えが出そろうようになり、それでやっと科学が進歩するようになったのです。だから、みなさんが討論をたのしむことができたとしたら、それはすばらしい進歩といってまちがいないと思います。民主主義というのは科学を産み育てるだけではありません。政治もあらゆる文化も、民主主義があってはじめて成り立つのです。外国を真似《まね》するだけの文化は民主主義がなくても育つかもしれませんが、これからのみなさんの時代は、そういうわけにはいきません。だから、ことさら、みなさんが大きくなっても自由に意見を出しあえるようになってほしい、と思うのです。

仮説実験授業のたのしさは、予想と討論のほかに実験の結果をみるたのしさもあるということはいうまでもないでしょう。また、いろいろな問題をやったあと、昔の科学者の研究の話や、教室では実験できないような話を読むのがたのしいという人もいることでしょう。

ところで私は、仮説実験授業をうけた子どもたちが書いてくれた感想文を読んでいて、「とてもおもしろい問題が多いのでたのしい。こういう問題はどうやって思いつくのだろう」という感想に出会うことがあります。そんなとき「いまの子どもたちはなんて鋭《するど》いのだろう」と思います。考えてみれば、これはあたりまえのことなのかもしれません。が、私もついうっかり忘れるところだったのです。そこで、そのことを書いて、この話をむすぶことにしたいと思います。

「どんな問題でもいいから予想をたてて討論して実験すればそれでたのしい授業になるか」というと、そういうわけにはいきません。問題がよくないと、予想をたてたり討論したりする気もしないし、実験をしてもたのしくないのです。そこで、仮説実験授業の授業書（テキスト、プリント）を作るには、いい問題を作るのが一番重要になるのです。

仮説実験授業のことをよく知らない人は、「そういう授業をやるのなら、子どもたちみんなに問題を作らせればいいではないか」などといいます。ところが、「自分たちでいい問題をいくつも作れるぐらいなら、もう学校なんかに行かなくてもいい」とも言えるくらい、問題をつくるのはむずかしいのです。その点、仮説実験授業をうけている子どもはさすがにちがいます。いい問題を考えつくことの大切なことを知っているからです。

じつは、科学の歴史の上でもっともすぐれた科学者というのは、「みんなが解けないむずかしい問題を解いてみせた人」ではありません。一番えらい科学者というのは、「やってみればだれでも実験できそうな問題だけれども、それまでだれも考えたことのないような問題で、しかもたいていの人がまちがって予想するような問題」を考えついて実験してたしかめた人なのです。そういう科学者はみな、昔の科学者の研究したことをくわしく勉強しています。そして「むずかしい問題を解くことよりも、たのしい問題を考えつくことの方がずっと大切だ」ということに気がついて、「自分でもおもしろい問題を見つけよう」と努力してきたのです。そこでそういう科学者は、昔の科学者の真似《まね》をしているうちに、他の人たちの気がつかないようなたのしい問題を発見して、みんなを「あっ」と言わせることができたのです。

仮説実験授業をうけたみなさんには、このことに気づいている人がたくさんいるようです。そして、自分でもたのしい問題をみつけようとしている人も少なくありません。そして、おもしろい問題をみつけてみんなでやってみた人も少なくありません。その中には、仮説実験授業の授業書の中にとりあげられている問題もあります。

仮説実験授業で私が一番たのしみにしていること、それはみなさんが自分でいい問題――みんなが考えたくなるような問題を考えつくようになることです。それはみなさんがおとなになってどんな仕事をするにせよ、大切なことです。いい問題を考えつくのはそう簡単なことではありませんが、そうむずかしいともいえません。ずっと心がけていれば、いつかはどこかで気づくようになるものです。そうしたら、もしかしたら、そこからあなたの一生の仕事がひろがってくるかもしれません。

「人間というものは、いい問題に出会ったらみんなたのしくなって頭を使い、話し合いたくなり、めんどうなことまでして実験してみたくなるものだ」――私はそう思っています。そして、みなさんもそれに賛成してくださると思っています。みなさんがそのことを知って、自分でいい問題を見つけられるようになったらすばらしいことだと思います。たのしく頭を働かせる勉強をつづけていれば、きっとそういう問題にも気づくようになるでしょう。

いつの世でも、おとなは子どもに大きな期待をもっているものです。しかし、時代が大きく変わろうとするとき、おとなは昔の時代のことしか知らないものだから、子どもたちとうまく意見があわなくて、がみがみ叱ることしかできなくなったりします。

昔は「勉強というのはたのしくないもの」にきまっていて、「いやでもむりやりやるもの」とされていました。しかし、これからの時代はちがいます。ふつうの授業ではあまり目立たなかった人も、仮説実験授業では、あるとき突然にクラスのみんなの注目をあびることもあったと思います。新しい時代、みなさんの時代は、そのように一人ひとりが自分の持ち前のよさを発揮して助け合うことによってたのしくきずくことができるにちがいありません。

新しい時代がもっとはっきりとした形をととのえるまで、みなさんの学校生活はたのしい授業ばかりとはいえませんが、めげずに、少しでもたのしく勉強する方法を考え出して、新しい社会をきずくようにしてくださるようにおねがいします。きっとみなさんがおとなになるころには、私たちおとなの時代よりも、もっとすばらしいたのしい社会ができることだろうと思うのです。

7 「科学者とあたま」をめぐって

かなり前から「早く日本人の創造性《そうぞうせい》を高めなければ、日本の経済も危ない」と叫《さけ》ばれている。最近、その声はさらに大きくなってきたようだ。そこで、「数学や物理がよくできる若者には、一年早く大学に入学させて、創造的な仕事に早く従事《じゅうじ》させたほうがいい」などと言われるようになってきている。そんな議論を聞くたびに、私はいつも寺田寅彦《てらだとらひこ》の「科学者とあたま」を思い出す。

「科学者とあたま」という文章は「科学者になるには〈あたま〉がよくなくてはいけない」――がまた、「科学者はあたまが悪くなくてはいけない」という矛盾《むじゅん》する命題《めいだい》の提示《ていじ》からはじまっている〈97ぺから全文を掲載〉。もしもこの議論が正しいとすると、「数学や物理がよくできる頭のいい若者には、一年早く大学に入学させて」といった議論は、そのままでは通用しないことになるではないか。

寅彦はいう。「頭のよい人は、あまりに多くの頭の力を過信《かしん》する恐れがある。その結果として、自然がわれわれに表示する現象が自分の頭で考えたことと一致しない場合に、〈自然の方が間違っている〉かのように考える恐れがある。まさかそれほどでなくても、そういったような傾向《けいこう》になる恐れがある」。

一方「頭の悪い人は、頭のいい人が考えて、〈はじめから駄目《だめ》にきまっているような試み〉を一生懸命につづけている。やっと、それが駄目とわかる頃には、しかしたいてい何かしら駄目でない他のものの糸口を取り上げている。そうしてそれは、その〈はじめから駄目な試み〉をあえてしなかった人には決して手に触れる機会のないような糸口である場合も少なくない」というのである。

寅彦の文章はとても説得的で、いわゆる「頭のいい人」も「悪い人」も感服《かんぷく》させられる文章だと思う。しかし、多くの人は「それでも」と考える。「この議論は抽象論《ちゅうしょうろん》で、実際にはそんなことはあるまい」と思いなおしがちなのである。だから、日本人の創造性の欠如《けつじょ》が問題になると、いつもみんな「頭のいい優等生」に期待をかけることになると思うのである。「科学者とあたま」を読んでもなお、「それでも」と考え、「頭のいい優等生」に過剰《かじょう》な期待をかけ続けるように思われてならない。

この文章には、「科学の歴史は、ある意味では錯覚《さっかく》と失策《しっさく》の歴史である、偉大なる迂愚者《おろかもの》の頭の悪い、能率の悪い仕事の歴史である」ともある。これを見ても、寅彦がこの文章を書きながら、科学史上のいろいろな事例を頭に描いていたことは間違いない。科学史家である私には、どの話が科学史上のどんな事例を頭においての議論であるのか、よくわかるような気もする。しかし、最近になって私は「これは日本のような科学の後進国のことはほとんど念頭《ねんとう》においていない話ではないか」と気づくことになった。

それは主として、私自身が少し前に「日本の脚気《かっけ》病研究の歴史」を研究して、『模倣《もほう》の時代』上下二巻（仮説社）をまとめて、現実はこの話以上であることを確認する結果になったことによる。

脚気《かっけ》は、幕末から敗戦頃まで猛威《もうい》をふるった東洋独特の恐ろしい病気であった。陸海軍の兵隊たちの三分の一近くは脚気になったし、都会に上京した学生たちの多くも脚気に悩まされた。明治天皇も脚気になり、皇女和宮《こうじょかずのみや》は脚気のために亡くなっている。そこで、陸海軍の軍医たちや大学の教授たちはその原因と治療法《ちりょうほう》の研究にやっきになった。

漢方医《かんぽうい》の中には「脚気には麦飯《むぎめし》や玄米《げんまい》が効《き》く」という人びとがあったが、西洋医たちはそれを迷信として退けた。ところが、陸軍大阪師団《しだん》の堀内利国《ほりうちとしくに》は「各地の監獄《かんごく》で白米を麦飯に変えたら相次《あいつ》いで脚気が全滅した」という情報を確認し、それをもとに、明治18年に兵食を麦飯に切り換えたところ、見事に脚気を絶滅することに成功した。そこで、海軍や他の陸軍師団もその成果を受け継いで、日清戦争（一八九四〜一八九五）までには陸海軍の脚気はほとんどなくなった。

ところが、東大医学部の教授たちやその卒業生たちが幹部となった陸軍医務局の人びとは、「麦飯や玄米が脚気に効く」という事実そのものを退け、脚気菌の発見に固執《こしつ》した。そこで、日清戦争が始まったとき、戦線には麦飯が送られず、「脚気による病死者数の方が戦死者数より多い」という結果になった。それでも、陸軍省医務局の幹部や東大医学部の教授たちは「麦飯や玄米が脚気に効くということは有り得ない」として、脚気菌の発見に期待をかけ、日露戦争が始まったときも戦線に麦飯を支給することを拒否した。その結果、この戦争のとき脚気による病死者数は二万人以上になった。

ところがそれでも、〈文学者でもあった森《もり》林太郎《りんたろう》＝鷗外《おうがい》〉を頂点とする陸軍省医務局の幹部や東大医学部の教授たちは考えを改めようとしなかった。その人びとは、「頭のよい人は、あまりに多くの頭の力を過信《かしん》する恐れがある。その結果として、自然がわれわれに表示する現象が自分の頭で考えたことと一致しない場合に、〈自然の方が間違っている〉かのように考える恐れがある」という寅彦の言葉そのままに、三十年以上も振る舞い続けたのである。このとき「脚気の栄養障害説」を認めていれば、日本の医学者たちがビタミン概念《がいねん》を発見して、日本最初のノーベル賞の受賞も可能だったのに、その機会を逸《いっ》したのである。

彼らは科学者個人として間違っただけではない。彼らは科学教育者・科学行政官《ぎょうせいかん》として、日本の脚気の研究と行政を間違った方向に誘導《ゆうどう》し、異説をもつ「頭の悪い医者たち」を弾圧《だんあつ》さえしたのである。そのことを思うとき、寅彦が「頭がよくて、自分を頭がいいと思い利口だと思う人は先生にはなれても科学者にはなれない」とか「これを読んで何事をも考えない人は、おそらく科学の世界に縁のない科学教育者か科学商人の類《たぐい》であろう」と言って、科学教育者を皮肉って済ませているのは感心できない。当時の寅彦の心情は私にも十分理解できるつもりだが、やはりこれは困る。もともと科学研究というものは、研究者個人の頭だけでなく、科学研究を行う雰囲気に左右されることが大きい。だから、科学研究に従事《じゅうじ》する個人だけでなく、科学教育や科学行政に係《かか》わる人々の間にも、「科学者とあたま」のような文書を読んで「会心の笑みをもらす人」が増えなければ、日本の科学は創造性を発揮しえないと思うのである。

今日の日本はもはや後進国ではない。しかし、こと創造的な科学活動となると、決して先進国に仲間入りしたとも言えない。「頭のいい科学者たち」が「頭の悪い科学者たち」の発揮する創造性を抑圧《よくあつ》する機構はまだ残っている。だから、「（科学者は）頭が悪いと同時に頭がよくなくてはならないのである。〈中略〉この事実に対する認識の不足が、科学の正常なる進歩を阻害《そがい》する場合がしばしばある。これは科学にたずさわるほどの人びとの慎重《しんちょう》な省察《せいさつ》を要することと思われる」という指摘《してき》は、寅彦自身が考えていた以上に今日的な重要な教訓を含《ふく》んでいることは明らかであろう。

＊寺田寅彦「科学者とあたま」は97ページから全文を掲載いたします。

「科学随筆の先駆者」寺田寅彦

板倉聖宣

「科学者とあたま」を書いた寺田寅彦（一八七八〜一九三五）は、日本で専門の科学者以外の人びとにもっとも親しまれている科学者です。専門は実験物理学・地球物理学で、東大教授のほか理化学研究所の主任研究員を兼ねていましたが、文学者の夏目漱石の弟子でもあって、自然科学者の目からたくさんの随筆を書いたからです。これらの随筆は発想が豊かで文章もすぐれていたので、「科学は苦手だ」という人びとにも広く読まれ、日本の文化人と言われるような人びとの科学観のもとにもなりました。寺田寅彦の書いた随筆は、岩波文庫の『寺田寅彦随筆集』全五冊などに収められていますから、今でも容易に読むことができます。これ以降、科学者が自然科学的な考えかたをもとにして書いた随筆を「科学随筆」と呼ぶようになりました。

「科学者とあたま」は、岩波文庫の『寺田寅彦随筆集』第四冊からとったものです。もとは一九三三年十月の『鉄塔』というPR雑誌に掲載され、その後、随筆集『物質と言葉』に収録されました。現在の岩波文庫版では仮名遣いを現代式に改め、一部に振り仮名を補ってありますが、ここではさらに読みやすいように句読点などをふやしました。しかし、その他は原文のままで、省略したところはありません。表題の「科学者とあたま」も原文のままです。

科学者とあたま

寺田寅彦

私に親しいある老科学者がある日、私に次のようなことを語って聞かせた。

「科学者になるには〈あたま〉がよくなくてはいけない」——これは普通、世人《せじん》の口にする一つの命題である。これはある意味では本当だと思われる。しかし、一方でまた「科学者はあたまが悪くなくてはいけない」という命題も、ある意味ではやはり本当である。そうしてこの後のほうの命題は、それを指摘《してき》し解説する人が比較的《ひかくてき》に少数である。

この、一見相反《あいはん》する二つの命題は、実は一つのものの互いに対立し、共存する二つの半面を表現するものである。この見かけ上のパラドックスは、実は「あたま」という言葉の内容に関する定義の曖昧不鮮明《あいまいふせんめい》から生まれることはもちろんである。

論理の連鎖《れんさ》のただ一つの輪をも取り失わないように、また、混乱の中に部分と全体との関係を見失わないようにするためには、正確でかつ緻密《ちみつ》な頭脳を要する。紛糾《ふんきゅう》した可能性の岐路《きろ》に立ったときに、取るべき道を誤らないためには、前途《ぜんと》を見透《みす》かす内察《ないさつ》と直観《ちょっかん》の力を持たなければならない。すなわち、この意味ではたしかに科学者は「あたま」がよくなくてはならないのである。

しかしまた、普通にいわゆる〈常識的にわかりきった〉と思われることで、そうして、普通の意味でいわゆるあたまの悪い人にでも容易にわかったと思われるような尋常茶飯事《じんじょうさはんじ》の中に、何かしら不可解《ふかかい》な疑点《ぎてん》を認め、そうしてその闡明《せんめい》に苦吟《くぎん》するということが、単なる科学教育者にはとにかく、科学的研究に従事する者にはさらにいっそう重要必須《ひっす》なことである。この点で科学者は、普通の頭の悪い人よりも、もっともっと物わかりの悪い、のみ込みの悪い田舎者《いなかもの》であり、朴念仁《ぼくねんじん》でなければならない。

いわゆる頭のいい人は、言わば足の早い旅人のようなものである。人より先に人のまだ行かない所へ行き着くこともできる代わりに、途中の道ばた、あるいはちょっとしたわき道にある肝心《かんじん》なものを見落とす恐れがある。頭の悪い人、足ののろい人がずっと後から遅れて来て、わけもなくその大事な宝物を拾って行く場合がある。

頭のいい人は、言わば〈富士のすそ野まで来て、そこから頂上をながめただけで、それで富士の全体をのみ込んで東京へ引き返す〉という心配がある。富士はやはり登ってみなければわからない。

頭のいい人は見通しがきくだけに、あらゆる道筋《みちすじ》の前途《ぜんと》の難関が見渡される。少なくも自分でそういう気がする。そのために、ややもすると前進する勇気を沮喪《そそう》しやすい。頭の悪い人は前途《ぜんと》に霧《きり》がかかっているために、かえって楽観的である。そうして、難関に出会っても存外《ぞんがい》どうにかしてそれを切り抜けて行く。どうにも抜けられない難関というのはきわめて稀《まれ》だからである。

それで、研学《けんがく》の徒はあまり頭のいい先生にうっかり助言を乞《こ》うてはいけない。きっと前途《ぜんと》に重畳《ちょうじょう》する難関を一つ一つしらみつぶしに枚挙《まいきょ》されて、そうして自分のせっかく楽しみにしている企図《きと》の絶望を宣告《せんこく》されるからである。委細《いさい》かまわず着手してみると、存外《ぞんがい》指摘された難関は楽に始末がついて、指摘《してき》されなかった意外な難関に出会うこともある。

頭のよい人は、あまりに多くの頭の力を過信する恐れがある。その結果として、自然がわれわれに表示する現象が自分の頭で考えたことと一致《いっち》しない場合に、「自然のほうが間違っている」かのように考える恐れがある。まさかそれほどではなくても、そういったような傾向《けいこう》になる恐れがある。これでは自然科学は自然の科学でなくなる。一方でまた自分の思ったような結果が出たときに、「それが実は〈思ったとは別の原因のために生じた偶然《ぐうぜん》の結果でありはしないか〉という可能性を吟味《ぎんみ》する」という大事な仕事を忘れる恐れがある。

頭の悪い人は、頭のいい人が考えて〈はじめから駄目《だめ》にきまっている〉ような試み〉を、一生懸命《いっしょうけんめい》につづけている。やっと、それが駄目《だめ》だとわかるころには、しかしたいてい何かしら駄目《だめ》でない他のものの糸口を取り上げている。そうしてそれは、その〈はじめから駄目《だめ》な試み〉をあえてしなかった人には決して手に触《ふ》れる機会のないような糸口である場合も少なくない。自然は、書卓《しょたく》の前で手を束《つか》ねて空中に絵を描いている人からは逃げ出して、自然のまん中へ赤裸《せきら》で飛び込んで来る人にのみその神秘の扉を開いて見せるからである。

頭のいい人には恋ができない。恋は盲目《もうもく》である。科学者になるには自然を恋人としなければならない。自然はやはりその恋人にのみ真心を打ち明けるものである。

科学の歴史は、ある意味では錯覚《さっかく》と失策《しっさく》の歴史である。偉大《いだい》なる迂愚者《おろかもの》の頭の悪い、能率の悪い仕事の歴史である。

頭のいい人は批評家に適するが、行為の人にはなりにくい。すべての行為には危険が伴《ともな》うからである。けがを恐れる人は大工にはなれない。失敗をこわがる人は科学者にはなれない。科学もやはり、頭の悪い命知らずの死骸《しがい》の山の上に築かれた殿堂《でんどう》であり、血の川のほとりに咲いた花園である。一身の利害に対して頭のよい人は戦士にはなりにくい。

頭のいい人には他人の仕事のあらが目につきやすい。その結果として、自然に他人のすることが愚《おろ》かに見え、従って自分が誰よりも賢《かしこ》いというような錯覚《さっかく》に陥《おちい》りやすい。そうなると、自然の結果として自分の向上心にゆるみが出て、やがてその人の進歩が止まってしまう。頭の悪い人には、他人の仕事がたいていみんな立派に見えると同時に、またえらい人の仕事でも自分にもできそうな気がするので、おのずから自分の向上心を刺激《しげき》されるということもあるのである。

頭のいい人で、「人の仕事のあらはわかるが自分のあらは見えない」という程度の人がある。そういう人は、人の仕事をくさしながらも自分で何かしら仕事をして、そうして学界にいくぶんの貢献《こうけん》をする。しかし、もういっそう頭がよくて、「自分の仕事のあらも見える」という人がある。そういう人になると、どこまで研究しても結末がつかない。それで結局、研究の結果をまとめないで終わる。すなわち何もしなかったのと、実証的《じっしょうてき》な見地《けんち》からは同等になる。そういう人はなんでもわかっているが、ただ「人間は過誤《かご》の動物である」という事実だけを忘却《ぼうきゃく》しているのである。一方ではまた、大小方円《だいしょうほうえん》の見さかいもつかないほどに頭が悪いおかげで大胆《だいたん》な実験をし、大胆な理論を公《おおや》けにし、その結果として百の間違いの内に一つ二つの真を見つけ出して学界に何がしかの貢献をし、また誤《あやま》って大家《たいか》の名を博《はく》することさえある。しかし、科学の世界ではすべての間違いは泡沫《ほうまつ》のように消えて真なもののみが生き残る。それで、何もしない人よりは何かした人のほうが科学に貢献するわけである。

頭のいい学者はまた、何か思いついた仕事があった場合にでも、その仕事が結果の価値という点から見ると、「せっかく骨を折っても結局たいした重要なものになりそうもない」という見込《みこ》みをつけて、着手しないで終わる場合が多い。しかし、頭の悪い学者はそんな見込みが立たないために、人からはきわめてつまらないと思われる事でもなんでもがむしゃらに仕事に取りついて、わき目もふらずに進行して行く。そうしているうちに、初めは予期しなかったような重大な結果にぶつかる機会も決して少なくない。この場合にも頭のいい人は人間の頭の力を買いかぶって天然の無際涯《むさいがい》な奥行《おくゆ》きを忘却するのである。科学的研究の結果の価値は、それが現れるまではたいてい誰にもわからない。また、「結果が出た時には誰も認めなかった価値が、十年百年の後に初めて認められる」ことも珍しくはない。

頭がよくて、そうして、自分を頭がいいと思い、利口だと思う人は先生にはなれても科学者にはなれない。人間の頭の力の限界を自覚して大自然の前に愚かな赤裸《せきら》の自分を投げ出し、そうしてただ大自然の直接の教えにのみ傾聴《けいちょう》する覚悟があって、初めて科学者になれるのである。しかし、それだけでは科学者にはなれない事ももちろんである。やはり観察と分析《ぶんせき》と推理の正確周到《せいかくしゅうとう》を必要とするのは言うまでもないことである。

つまり、頭が悪いと同時に頭がよくなくてはならないのである。この事実に対する認識の不足が、科学の正常なる進歩を阻害《そがい》する場合がしばしばある。これは、科学にたずさわるほどの人々の慎重《しんちょう》な省察《せいさつ》を要することと思われる。

最後にもう一つ、頭のいい、ことに年少気鋭《ねんしょうきえい》の科学者が、科学者としては立派な科学者でも、時として陥《おちい》る一つの錯覚《さっかく》がある。それは、科学が人間の知恵のすべてであるかのように考えることである。科学は孔子のいわゆる「格物《かくぶつ》」の学であって「致知《ちち》」の一部に過ぎない。しかるに、現在の科学の国土は、まだウパニシャドや老子やソクラテスの世界との通路を一筋《ひとすじ》でももっていない。芭蕉《ばしょう》や広重《ひろしげ》の世界にも手を出す手がかりをもっていない。そういう別の世界の存在はしかし人間の事実である。理屈ではない。そういう事実を無視して、科学ばかりが学のように思い誤《あやま》り思いあがるのは、その人が科学者であるには妨《さまた》げないとしても、認識の人であるためには少なからざる障害となるであろう。これもわかりきったことのようであって、しばしば忘れられがちなことであり、そうして忘れてならないことの一つであろうと思われる。

この老科学者の世迷《よま》い言《ごと》を読んで不快に感ずる人は、きっとうらやむべきすぐれた頭のいい学者であろう。またこれを読んで会心の笑みをもらす人は、またきっとうらやむべく頭の悪い立派な科学者であろう。これを読んで何事をも考えない人は、おそらく科学の世界に縁のない科学教育者か科学商人の類《たぐい》であろうと思われる。

（一九三三〔昭和八〕年一〇月）

「なぜ学ぶのか」なんて聞かれたらどう答えたらいいんだろう?

この本は「若い読者のみなさん」に向かって作られたものです。でも、ゴメンナサイ！　大人である私の方が先に読んでしまいました。そして、「あー、これは、私みたいな大人でも十分にたのしめるものだ！　ラッキー！」なんて思っちゃいました。

たとえば、第1話が「なぜ学ぶのか?——中学生への手紙」となっています。これは、私にとってとても興味をそそられるテーマです。私だったら、どう考え、それをどう若者たちに伝えるんだろう。アナタはどうですか?　アナタがもしも学校の先生なら、どう子どもたちに説明しますか。

なぜ私がこのテーマに興味をそそられたかというと、じつは、今から40年以上も前、私が30代の中学教師だったとき、授業中に突然、ある男子中学生から、「先生、なんでこんな勉強すんの〜?」と訴えられたことがあったからです。しかも、その中学生は、普段は授業中に悪ふざけしたり授業妨害するような、超勉強嫌いのツッパリ君だったのです。

「先生、なんでこんな勉強しなくちゃいけないの〜?　この教科書に載っているような〈オームの法則〉や〈ジュールの法則〉なんて、俺にとってどうでもいいような気がするんだけど……なんで〜?」

そのときの口調が、教師に反抗するようなキツイものではなく、「俺は本当にその理由を知りたいんだよ。教えてよ!」というような、素朴だけど真剣なものだったので、私はドキッとしてしまいました。そして、「おっ、これは、適当に答えてごまかすってわけにはいかないぞ……」と思いました。

しかも、そのツッパリ君は、私の〈仮説実験授業〉（仮説実験授業については46ページ「予想と討論と実験と」を読んでください）のときだけは積極的に討論に参加し、授業を盛り上げてくれる、私にとってありがたい存在だったのです。だから、なおさら適当にサラッと流すわけにはいかなかったのです。

ところが！です。私にはそのとき、「どう答えたらいいのか」が思い浮かばなかったのです。

「将来役立つはずだから」

「教科書に載っているから」

「高校入試に出るから」

「勉強は大切なものと決まっているから」

――そんな決まりきった言葉ならすぐに思いつきました。でも、「そんな答えじゃ悲しいよな～」という気持ちもありました。……というわけで、結局そのときは恥ずかしながら、「ごめん。今はうまく言えません」と正直に謝るしかなかったのです。

そのときからですね。このテーマ「どうして勉強するの？」が私にとって大きな関心事になったのは。その後、このテーマに関係するような本などにたくさん出会いましたが、タテマエ的な答え方のものが多く、私みたいな〈庶民感覚〉でしか納得できないタイプの人間にはなかなかストンと落ちてこなかったのです。

「う～ん、俺みたいな人間に、〈そうか、勉強するってそういうことなのか！〉ってグサッと揺り動かしてくれるようなことを書いている人っていないのかな～」

そう思っていた私を、グサッと刺激してくれたのは、この本の著者、板倉聖宣さんの次の文章でした。

僕は小学校の時から、「勉強しているとどういう良いことがあるか」というより、「勉強するとどういう悪いことがあるか」ということを、ずいぶん勉強しました。僕は兄弟が多いんです。９人兄弟の真ん中くらいです。

いろんなことを知らないと、姉から「キヨノブはこんなことも知らない。あんなことも知らない」と言われました。何にも知らなかったんです。

でも、そのために、「勉強するとどんな悪いことがあるか」ということがわかりました。

つまり、勉強をするとですね、「あなたはこんなことも知らない。あんなことも知らない」というふうに、「〈人をバカにする能力〉が高まる」ということを知ったんです。

これは、とっても怖いことです。それで僕は、「〈人をバカにする能力〉を高めたくない。だから勉強をしたくない」と思ったんです。そう思うのに、ついつい勉強をしてちょっと知識を仕入れてしまうことがある。でも、せめて〈人をバカにする能力〉を高めたくなかった。〈人をバカにする人間〉にはなりたくない。そう思っていました。僕にとっては道徳とは、〈友だちをバカにしない能力〉を身につけたいということでした。（板倉聖宣「若い人たちに伝えたいこと」、月刊『たのしい授業』2010年4月号、仮説社）

「なぜ勉強するのか？　それは人をバカにする能力を高めるためだよ」というセリフに、私はグサッと胸を突かれました。そんな答えをまったく予期していなかったからです。でも、すぐに、「言われてみればほんとそうだよな〜。こういう思いは多くの人が胸の中で抱いていることだよな」と思えたのでした。

私も、子どもの頃から、知識をひけらかす優等生たちが大嫌いでした。「俺、すごいだろう」って威張っている感じがしてイヤだったのです。自分の中に劣等感がムクムクと生まれてくるのです。それなのに、自分にちょっとした知識が入ると、今度はそれを友だちにひけらかして**優越感に浸る自分がいたり**したのです。

あ〜、イヤらしい！

今でもその後遺症があって、僕の前に、「それ、教えてあげようか」って感じで、知識をダァ〜っと列挙してくる人間が現れると、私は退《ひ》いてしまうのです。いや、私自身だってそうなりかねない。「教育」に関わる人間にはそういう人が多いからです。

＊

ところで、「勉強するとどういう悪いことがあるのか？　それは人をバカにする能力が高まることだよ」とズバッと言い当ててくれた板倉聖宣さん。その板倉さんは、「勉強するとはどういうことか？　何のためにするのか？　どういう良いことがあるのか？」についてはどういう話をしてくれるのでしょうか。とっても気になります。

そのヒントを与えてくれるのが、この本の第1話「なぜ学ぶのか？」なのです。若いあなたに特にオススメのお話です。

ここに書かれていることは、大人なら、たとえば「学校の先生なら誰でも知っていること」ではありません。学校の先生だって、まだ知らないことなのです。だからこそ、私自身もとても驚きと新鮮さを感じながら読むことができたのです。そして、「学校の先生たちにもぜひ読んでいただきたいなあ」と思いました。

これを読むと、子どもたちに、「先生、なんで勉強なんかするの？」と問われた時（いや問われなくても）、ニコッと笑って、その先生なりの「答え・考え」を子どもたちに伝えることができるでしょう。そのためのヒントがいっぱい詰まっているからです。

なお、他の文章（第2話〜第7話）のどれも、若い人たちにオススメです。私はとくに教師をめざす「未来の先生たち」に読んでもらえたらなぁと思っていて、さっそく、ゼミの学生たちと第2話「未来を切り開く力」

の読書会をしようと計画しています。

第4話「死んだらどうなるか」、第5話「予想と討論と実験と」、第6話「たのしく学び続けるために」などは、すでに全国の先生方が、子どもたちに紹介していて、どれも、子どもたちから「たのしかった」「いいことを学べた」などというふうにいい評価をもらっているものです。特に第5話と第6話は、もしあなたが〈仮説実験授業〉をしている先生なら、ぜひ自分のクラスの子どもたちに読んであげてください。きっと子どもたちの笑顔に出会えますよ。

ところで、第7話「〈科学者とあたま〉をめぐって」と、それに続く寺田寅彦「科学者とあたま」は、他のものとは文章の雰囲気も違いますし、正直、私もすぐには馴染めなかったので、途中から読むのをやめてしまいました。特に寺田寅彦の文章は、（読書がそれほど得意ではない）私にとっては、力を入れないと読み進むことができなかったのです。それで、すぐにバタンとページを閉じました。これが私のやり方です。〈私の気持ち最優先〉で読書していきたいからです。

ところがです。数日たったあるとき突然に、「あの話の中で寺田寅彦は〈なぜ勉強するの？〉にどう答えているのだろう？」ということが、ムクムクと気になってきたのです。〈力を入れても読みたい〉という気持ちになってきました。そこで、力を入れて読んでみました。すると、「お〜っ、すごくオモシロイ！　寺田寅彦、やるじゃないか！」と心から思えたのでした。だから、みなさん、このお話もオススメです。そして同時に、私のような「自分の気持ちと、自分の目的を大切にする読み方」もオススメしておくことにします。

どうぞ、本をパラパラとめくって、みなさんの気持ちがそそられるお話から読み始めてください。

（小原茂巳）

板倉聖宣《いたくらきよのぶ》

1930年　東京の下町（現・台東区東上野）に生まれる。
1951年　学生時代に自然弁証法研究会を組織。機関誌『科学と方法』を創刊。
1958年　物理学の歴史の研究によって理学博士となる。
1959年　国立教育研究所（現・国立教育政策研究所）に勤務。
1963年　仮説実験授業を提唱。仮説実験授業研究会代表（～2018）。
1973年　月刊『ひと』（太郎次郎社）を遠山啓らと創刊。
1983年　月刊『たのしい授業』（仮説社）を創刊。2018年まで編集代表。
1995年　国立教育研究所を定年退職（名誉所員）。私立板倉研究室を設立。
2013～16年度　科学史学会会長。
2018年 2月7日 逝去。

著書　科学史・教育史の専門書の他，仮説実験授業を中心とする科学教育・社会の科学，歴史教育，科学啓蒙書，科学読み物，絵本など，広い範囲にわたって多数。『ジャガイモの花と実』『原子論の歴史』『模倣の時代』『仮説実験授業』『未来の科学教育』『科学的とはどういうことか』『歴史の見方考え方』『もしも原子がみえたなら（絵本）』（以上，仮説社），『日本史再発見』（朝日新聞），『ぼくらはガリレオ』（岩波書店）等。『増補 日本理科教育史』では2010年パピルス賞受賞。

小原茂巳《おばらしげみ》

1950年　宮城県登米郡に生まれる。5人兄弟の末っ子。
1974年　中央大学理工学部卒業。75年，東京都葛飾区綾瀬中学校で初めて教壇に立つ。仮説実験授業を知り，同研究会の会員に。都内の公立中学校7校を経て，現在は明星大学特任准教授。昭島「たのしい教師サークル」主宰。仮説実験授業研究会代表（2020年度）。

著書　『授業を楽しむ子どもたち』『たのしい教師入門』『未来の先生たちへ』（仮説社），他。月刊誌『たのしい授業』に多くの論文を発表している。

なぜ学ぶのか 科学者からの手紙

2020年6月26日　初版発行（3000部）

著者　板倉聖宣　©Itakura Kiyonobu, 2020
発行　株式会社 仮説社
　170-0002 東京都豊島区巣鴨1-14-5第一松岡ビル3階
　電話 03-6902-2121　FAX 03-6902-2125
　www.kasetu.co.jp　mail@kasetu.co.jp
装画　奥まはみ　装丁　渡辺次郎　印刷・製本　シナノ書籍印刷
用紙　鵬紙業（カバー：A2コート四六Y110kg／表紙：MTA+四六Y180kg／見返し：サイタン四六Y100kg／本文：モンテルキア四六Y69kg）
Printed in Japan　ISBN 978-4-7735-0302-9 C0037